Jeux de société

pour animer vos soirées

Catalogage avant publication de Bibliothèque et Archives Canada

Chaillé, Christianne

    Jeux de société pour animer vos soirées

    2ᵉ édition

    (Collection Loisirs)

    ISBN : 2-7640-0922-4

    1. Jeux d'intérieur. 2. Jeux de société. I. Titre. II. Collection : Collection Loisirs (Éditions Quebecor).

GV1229.C42 2004   793   C2004-941275-2

LES ÉDITIONS QUEBECOR
7, chemin Bates
Outremont (Québec)
H2V 4V7
Tél. : (514) 270-1746
www.quebecoreditions.com

© 2004, Les Éditions Quebecor, pour la présente édition
Bibliothèque nationale du Québec
Bibliothèque nationale du Canada

Éditeur : Jacques Simard
Coordonnatrice de la production : Dianne Rioux
Conception de la couverture : Bernard Langlois
Illustration de la couverture : Greg Paprocki / Photodisc / Veer
Photo de l'auteure : Georges Dutil
Révision : Sylvie Massariol
Correction d'épreuves : Francine St-Jean
Infographie : Composition Monika, Québec

Nous reconnaissons l'aide financière du gouvernement du Canada par l'entremise du Programme d'Aide au Développement de l'Industrie de l'Édition pour nos activités d'édition.

Gouvernement du Québec – Programme de crédit d'impôt pour l'édition de livres – Gestion SODEC.

Christianne Chaillé

Jeux de société

pour animer vos soirées

LES ÉDITIONS
Quebecor
QUEBECOR MEDIA

*Je dédie ce livre
à mon fils Vincent,
à ma filleule Mélissa
et à mon neveu Philippe.
Que votre vie,
qui en est à son printemps,
soit une véritable partie
de plaisirs tout au fil
du temps!*

REMERCIEMENTS

Je tiens vivement à remercier chacune des personnes qui ont permis d'enrichir la gamme très diversifiée de jeux que je vous ai présentés. Pour leur généreuse contribution à ce livre, mes remerciements les plus sincères à:

- ❖ Marcel Bouchard
- ❖ Manon Chaillé
- ❖ Pierre Charlet
- ❖ Gaëlle Fedoce
- ❖ Pierre-Olivier Désilets
- ❖ Michel Dupuis
- ❖ Normand Durand
- ❖ Raymond Fortin
- ❖ Jean Kenesi
- ❖ Gilles Lafrenière
- ❖ Vincent Moreews
- ❖ Patrick Ouvrard
- ❖ François Payeur
- ❖ Ginette Pontbriand

❖ Jacques Richer
❖ David Schweighofer
❖ Olivier Theillaumas

INTRODUCTION

LES JEUX DE SOCIÉTÉ: REFLETS... D'UNE SOCIÉTÉ!

Vous vous apprêtez à recevoir les membres de votre famille? vos amis? un amalgame des deux? En hôte consciencieux, vous ne voulez ménager aucun effort pour que cette réception soit réussie en tout point. Peu importe que votre accueil soit teinté de faste ou qu'il se fasse sous l'enseigne d'une détente sans prétention, vous jouerez gagnant si vous prévoyez d'y inclure des jeux de société.

Depuis des temps immémoriaux, les jeux de société sont en effet un reflet social des habitudes de vie de l'humain. Car, depuis toujours, le jeu est «*une activité physique ou intellectuelle non imposée et gratuite, à laquelle on s'adonne pour se divertir, en tirer plaisir*» selon la définition même du *Petit Larousse*.

Issu du mot latin *jocus*, qui signifiait «jeu en parole, plaisanterie», *giu*, devenu *geu* et, finalement, *jeu*, a connu une variété de significations depuis l'époque romaine. Dès les premiers textes, qui remontent à 1080, il désigne désormais un amusement libre et une activité ludique organisée par un système de règles définissant succès et échec.

Ainsi, sous toutes leurs formes, les jeux de société sont devenus au fil des siècles une partie importante du patrimoine culturel de l'espèce humaine. L'année de création de certains jeux se calcule en effet en millénaires! C'est dire à quel point l'aspect ludique a toujours occupé une place prépondérante dans le quotidien des individus de toutes origines.

D'ailleurs, certains jeux sont si ancrés dans les mœurs de plusieurs peuples qu'ils sont automatiquement associés à certaines régions du monde. Nous n'avons qu'à penser à l'appartenance franchement française de la pétanque, à celle incontestablement américaine du poker, ou encore à celle assurément chinoise du Mah Jong...

Il est des jeux qui ont traversé les affres du temps sans coup férir, tandis que d'autres n'ont connu qu'une popularité éphémère. Non pas que ces derniers aient été nécessairement sans intérêt, mais plutôt parce que, comme pour tout jeu de société, ils ont été le miroir des préoccupations de l'heure. Autres temps, autres mœurs... À cet effet, il serait pour le moins étonnant d'imaginer les premiers colons attablés devant une planche de *Monopoly*, par exemple!

Aujourd'hui, les jeux de société connaissent un engouement certain. De fait, pour que vos visiteurs se souviennent avec plaisir de cette escapade à votre domicile, il vous faut miser sur une animation où tous peuvent prendre part avec joie. Les jeux de société sont incontestablement la clé de cette réussite.

Pour ce faire, je vous propose dans ce livre un éventail de jeux aptes à convenir à tous les goûts. N'exigeant que quelques accessoires, en vente à coûts abordables, ils deviendront vite des éléments indispensables à toute rencontre organisée sous la férule du plaisir.

Pour vous, j'ai regroupé des jeux de mots, des devinettes, des jeux de mimes, d'habileté, de mémoire, de stratégie, de rôles, des jeux de cartes, des grands classiques ainsi que des nouveautés afin que vous ayez la possibilité d'y puiser celui ou ceux qui sont susceptibles d'agrémenter comme il se doit vos soirées, vos retrouvailles familiales ou amicales.

Vous en dégoterez plusieurs vous permettant de jouer avec des participants de tout âge. À ceux-là, s'ajouteront certains autres dédiés soit aux adultes, soit aux enfants. Et pour chacun d'eux, vous trouverez une description exhaustive où sont clairement expliquées la façon d'y jouer et les règles à suivre.

Si «[...] *le plaisir est comme une fleur: on le cueille et il meurt au bout de quelques heures»*, comme l'a si bien écrit Roger Fournier dans *Inutile et adorable*, je vous offre un bouquet bien garni pour que vous puissiez en décorer votre intérieur tout au long de l'année! Vous aurez ainsi les meilleurs prétextes pour renouer avec votre âme d'enfant, ces grands maîtres des jeux. Qui plus est, ce bonheur combien agréable, vous le ferez aussi partager à ceux qui vous sont chers. Sans plus tarder, amusez-vous!

CHAPITRE 1

LES JEUX D'ADRESSE

Avec les jeux d'habileté ou d'adresse, il ne s'agit pas d'être doué d'une intelligence supérieure pour être déclaré gagnant. À l'aide d'un peu de jugeote et d'une certaine dextérité, il est possible de mener une chaude lutte à ses adversaires. Ces caractéristiques, la plupart d'entre nous les possèdent. Il est alors aisé de prévoir des parties endiablées où chacun tentera de mettre de l'avant son savoir-faire!

L'ÂNE

Catégorie:

6 ans et plus.

Nombre de joueurs:

Minimum: 2. Maximum: illimité. Un maître de jeu.

Matériel:

Vous pouvez acheter ce jeu sur le marché pour quelques dollars ou le fabriquer vous-même. Pour ce faire, il vous faudra dessiner une silhouette d'âne de profil, mais sans la queue et préférablement à grande échelle. Dessinez ensuite la queue sur un carton rigide et découpez-en le contour. Avec de la gommette, collez votre âne sur votre frigo. Procurez-vous un aimant (un de ces aimants décoratifs dont on se sert pour maintenir un pense-bête sur le frigo fera très bien l'affaire) et collez-y la queue de l'âne. Un foulard pour cacher les yeux.

Jeu:

Le maître de jeu désigne un joueur qui commencera la partie. Ce dernier se fait bander les yeux, tourne quatre fois sur lui-même à un point situé à quelques mètres du réfrigérateur. Il doit tenter de mettre la queue de l'âne où il se doit. Pas facile lorsqu'on n'y voit goutte!

Quelques trucs et variantes:

Si vous disposez de cartons de différentes couleurs, découpez plusieurs queues pour que chaque joueur en ait une qui lui soit personnelle. Il sera alors plus facile de comparer les tentatives de tous. Si vous jouez entre collègues de travail, pourquoi ne pas remplacer l'âne par une photocopie grand format... d'une photographie de votre patron?

UNE BONNE RAQUETTE

Catégorie:

Pour tous.

Nombre de joueurs:

Minimum: 4. Maximum: illimité. En nombre pair. Un maître de jeu.

Matériel:

Une raquette de tennis par équipe. Une balle par équipe. Quatre balises.

Endroit:

Préférablement à l'extérieur. À l'intérieur dans une grande pièce dégagée.

Jeu:

Le maître de jeu place deux balises à une extrémité du terrain. Après quoi, il fait environ 25 pas en se dirigeant vers l'autre extrémité et y dépose les deux autres balises.

Des équipes de nombre égal sont ensuite formées par le maître de jeu. Chaque groupe se place à la queue leu leu à l'une des extrémités du terrain. Le maître de jeu remet une raquette de tennis et une balle à chaque meneur de file.

Au signal, le premier joueur doit marcher ou courir avec la balle en équilibre sur la raquette pour atteindre l'autre balise dans le délai le plus bref. Une fois l'objectif atteint, il fait le chemin en sens inverse et remet la raquette et la balle au deuxième coéquipier.

Si, durant le trajet à parcourir, un participant échappe la balle, il doit cesser immédiatement son parcours. Il retourne au point d'origine, remet l'équipement à un autre joueur de son équipe et se place à la fin de la queue. La première équipe dont tous les équipiers ont réussi l'épreuve gagne la partie.

Variante:

Pour que la difficulté soit maximisée, les joueurs devront de plus faire sautiller la balle sur la raquette pendant leur course.

CROQUE LA POMME!

Catégorie:

6 ans et plus.

Nombre de joueurs:

Minimum: 2. Maximum: illimité.

Matériel:

Un grand bassin. De l'eau. Des pommes.

Jeu:

Qui n'a pas joué un jour ou l'autre dans sa vie à ce jeu qui traverse les siècles sans rider? Vous? Il est grand temps de mettre fin à cette inexpérience.

Remplissez d'eau un grand bassin, préférablement de forme circulaire, qui sera déposé à même le sol. Ensuite, faites-y flotter d'appétissantes pommes.

À tour de rôle, les participants doivent, les mains derrière le dos, tenter de croquer une pomme. Plusieurs devront s'ébrouer pendant de longues minutes avant d'y parvenir. À cet effet, n'oubliez pas de prévoir des serviettes pour que vos invités puissent s'assécher...

Quelques variantes:

Vous pouvez remplacer les pommes par des citrons ou, mieux encore, par des limes. Le jeu en deviendra encore plus difficile, et les joueurs qui réussiront à mordre un fruit grimaceront à coup sûr!

LA COURSE DES ANIMAUX

Catégorie:

Pour tous.

Nombre de joueurs:

Minimum: 4. Maximum: illimité. En nombre pair. Un maître de jeu.

Matériel:

Deux balises.

Jeu:

Après avoir déposé les balises à un point de départ et à un point d'arrivée, le maître de jeu forme des équipes qui réuniront le même nombre de joueurs. Chaque groupe se place sur la ligne de départ à la file indienne.

Le maître de jeu précise le caractère particulier de cette course. En effet, chaque joueur se métamorphosera pour l'occasion en un animal bien précis. Ainsi, dans chaque équipe, il y aura un kangourou qui devra parcourir le trajet en sautant à grands bonds; un serpent qui, lui, devra ramper sur le ventre; un canard qui courra en position accroupie tout en bougeant les coudes; un gorille qui se déplacera de côté en bougeant les deux pieds suivis des deux mains; un lapin qui devra sautiller en gardant les mains par terre; un crabe qui, tout en se mouvant de côté, aura pieds et mains au sol; une gazelle qui bougera en faisant d'immenses sauts; un tigre qui avancera sur les genoux et les mains; une grenouille qui, en position accroupie, sautera haut et loin. Si les équipes comptent plus de 8 joueurs, le maître de jeu devra inventer d'autres animaux possédant chacun leurs propres règles de déplacement.

Après avoir reçu les consignes du maître de jeu expliquant quel animal chacun doit personnifier et comment ce dernier doit se déplacer, les meneurs de file des différentes équipes, qui campent tous le même animal, se mettent en place.

Le maître de jeu donne le signal de départ et la course commence! Ainsi, dans le rang de chaque équipe et dans le même ordre pour chacune d'elles, il y aura un kangourou suivi d'un canard, qui sera suivi par un gorille. Et le gorille par le lapin, etc.

Chaque joueur doit faire le tour de la balise et revenir au point de départ pour que le second participant puisse entamer sa course. La première équipe à avoir terminé un tour complet gagne.

Quelques trucs et variantes:

Le maître de jeu demande de plus aux joueurs d'imiter le cri de l'animal personnifié pendant la course: de quoi couper le souffle dans certains cas! Plutôt que la partie s'achève après un seul tour, le maître de jeu pourra aussi accorder un point à l'équipe qui l'aura achevée en premier; une fois ce tour complété par toutes les équipes, le maître de jeu attribuera un nouvel animal à chaque joueur: il y aura ainsi autant de tours que d'animaux avant que le jeu prenne fin.

ENCORE DU RIZ!

Catégorie:

Pour tous.

Nombre de joueurs:

Minimum: 2. Maximum: illimité.

Matériel:

Un grand bol. Du riz non cuit. Des bouchons plastifiés.

Jeu:

Il s'agit ici d'un jeu d'une simplicité enfantine, mais combien difficile à réussir pour le concurrent en lice et, surtout, combien rigolo pour ceux qui observent ses efforts!

Il suffit de remplir un grand bol de riz non cuit et d'y cacher un ou des bouchons de

plastique. Les mains dans le dos, le participant doit le récupérer avec sa bouche...

Quelques variantes:

Pour accroître le défi, il faudra réussir cette
épreuve dans un temps donné. Plus le
nombre de bouchons est grand, plus le
degré de difficulté est élevé.

LES FLÉCHETTES

Catégorie:

16 ans et plus.

Nombre de joueurs:

Minimum: 2. Maximum: illimité.

Matériel:

Une cible de bois spécialement conçue à
cet effet. Des fléchettes.

Jeu:

La cible la plus largement utilisée dans le
monde entier – les amateurs du jeu de fléchettes se comptent par millions – est
divisée en 20 secteurs auxquels sont attri-
buées des valeurs. Le numéro dédié à un
secteur représente la valeur en points.

La couronne extérieure double la valeur du
secteur, la couronne intermédiaire la triple.

Le centre vaut 25 points et le double centre, communément appelé *bull's eye*, 50 points.

Selon les règles émises par les fédérations officielles de ce jeu, la cible doit être installée à 1,73 m (5 pi 7 po) du sol, son centre se situant à 2,37 m (7 pi 8 po) du pas de tir (le pied placé à l'avant lors du lancer). La distance diagonale est donc de 2,94 m (9 pi 6 po). En connaissant cette dernière mesure, il vous est plus facile d'installer la cible. En effet, vous n'avez qu'à prendre une corde de cette longueur, en placer une extrémité au centre de la cible et l'autre au sol: le tour est joué!

Il existe de très nombreuses règles du jeu de fléchettes, mais celle qui est la plus utilisée (plus de trois millions de compétiteurs dans le monde entier!) est le «501».

À la fin de chaque tour où chaque joueur lance trois fléchettes, ce que les initiés nomment une «volée», le total des points obtenus est déduit du capital initial de 501 du joueur ou de l'équipe. Exemple: tous les participants commencent la partie en ayant 501 points chacun. Le premier participant joue sa volée et marque 20 points. Le pointage de ce joueur après ce premier tour sera donc: 501 − 20 = 481.

Gagne la partie celui qui arrive à zéro le premier, mais en obtenant exactement un pointage de zéro et par un double. Si un joueur marque un total de point supérieur au capital restant, ce total ne compte pas et le joueur conserve le capital qu'il avait au tour précédent. Exemple: pour finir une partie sur un capital restant de 97 points, le joueur lance une fléchette dans la couronne intermédiaire, il obtient $3 \times 19 = 57$. Sa seconde fléchette se fiche dans la couronne extérieure du secteur 20, soit $2 \times 20 = 40$. Ce nombre additionné au pointage précédant donne un total de 97, donc $97 - 97 = 0$ avec un double lors du dernier lancer.

Quelques variantes:

Avant de pouvoir commencer à retrancher des points du capital initial de 501, un joueur doit avoir obligatoirement un double. Ce double peut être obtenu sur n'importe quel secteur ou imposé.

Jeu:

Ces mêmes règles s'appliquent lorsque les participants optent pour le « 301 » (où le capital initial est de 301 plutôt que 501; conséquemment, la partie est moins longue) ou pour le « 1 001 » (où le capital initial est alors de 1 001 points).

GRAND GALOP ET PETIT TROT

Catégorie:

Pour tous.

Nombre de joueurs:

Minimum: 8. Maximum: illimité. En nombre pair. Un maître de jeu.

Matériel:

Un nombre de souliers équivalent au nombre d'équipes moins un soulier.

Jeu:

Le maître de jeu forme des équipes de deux en faisant en sorte que, dans chacune d'elles, on trouve un joueur costaud. Le plus robuste des deux partenaires doit faire le cheval, tandis que l'autre devient le cavalier.

Les chevaux forment un cercle et les cavaliers en forment un autre, mais en se plaçant tout autour de leurs montures. Les souliers sont placés pêle-mêle, en plein cœur de ces deux cercles.

Le maître de jeu commence alors à raconter l'épopée des chevaliers de la Table ronde en inventant les péripéties les plus glorieuses. Au cours de cette narration sûrement fort captivante, il devra lancer à brûle-pourpoint:

«Cavaliers, en selle!» Chaque cavalier doit alors immédiatement monter sur le dos de son cheval et y rester jusqu'à nouvel ordre.

Tout en poursuivant son récit, le maître de jeu devra, cette fois-ci, insérer à son histoire le commandement: «Cavaliers, chargez!» À cet instant, les cavaliers doivent descendre de leur monture respective et se mettre à galoper, tous dans le même sens, alentour (à l'extérieur) du cercle formé par les chevaux.

Pendant ce temps, les chevaux doivent offrir leur profil aux cavaliers qui courent toujours, en avançant au petit trot dans le sens contraire des cavaliers. Lorsque le maître de jeu s'écriera: «Cavaliers, au trésor!», tous s'immobilisent. Les cavaliers doivent se faufiler sous le cheval le plus près d'eux et tenter de mettre la main sur une parcelle du trésor, soit un soulier. Après quoi, ils doivent retrouver leur cheval personnel et monter en selle.

L'équipage qui se trouve sans soulier est éliminé de la partie et le maître de jeu, ayant pris soin de retirer une partie du trésor (un soulier ou plus selon le temps dont on dispose), reprend le fil des aventures chevaleresques en lançant de nouveau les mots d'ordre précédemment expliqués.

LE *LIFE SAVER*

Catégorie:

Pour tous.

Nombre de joueurs:

Minimum: 4. Maximum: illimité. En nombre pair. Un maître de jeu.

Matériel:

Des rouleaux de bonbons *Life Saver*, vous savez ces friandises multicolores percées au centre. Des pailles ou des cure-dents très longs.

Jeu:

Les participants s'alignent face à face sur deux rangées égales. Le maître de jeu distribue, à un membre de chaque équipe de deux, une paille (ou un long cure-dent) et un bonbon. À l'autre, il ne remet cependant qu'une paille sans bonbon.

Le joueur détenant paille et bonbon doit enfiler le bonbon sur la paille et la placer entre ses deux dents, puis il met ses mains derrière le dos. Son coéquipier place également sa paille dans sa bouche, puis il noue ses mains dans le dos.

Au signal du maître de jeu, chaque participant doit passer le bonbon *Life Saver* à son coéquipier, sans faire l'usage de ses mains et de paille à paille: une opération plutôt ardue à réaliser, mais combien amusante! La première équipe à réussir cet exploit s'empare du titre de champions.

LE LIMBO

Catégorie:

Pour tous.

Nombre de joueurs:

Minimum: 4. Maximum: illimité. Un maître de jeu.

Matériel:

Un manche à balai. De la musique, préférablement.

Jeu:

Ce jeu qui nous vient des îles du Sud exige une très grande flexibilité, puisque les participants doivent passer à tour de rôle sous un manche à balai tenu à chacune des extrémités par deux adjoints du maître de jeu.

Les participants ne peuvent se jeter dans l'aventure tête baissée. Bien au contraire! Ils doivent avoir le dos arqué vers l'arrière lorsqu'ils glissent sous le bâton sans toucher le sol. Le maître de jeu veille à ce que cette position soit respectée fidèlement.

Tous les joueurs tentent leur chance au rythme d'une musique latine, de préférence. Lorsqu'un tour complet est conclu, les adjoints doivent restreindre de quelques centimètres la distance séparant le bâton du sol. Conséquemment, les joueurs devront s'arc-bouter encore plus.

De tour en tour, plus le bâton est descendu, plus la difficulté à passer sous lui est décuplée. Le gagnant est celui qui réussira l'exploit remarquable à passer sous le bâton, alors que ce dernier ne sera situé qu'à quelques centimètres du sol!

LE MILLE-PATTES

Catégorie:

Pour tous.

Nombre de joueurs:

Minimum: 6. Maximum: illimité. Un maître de jeu.

Endroit:

Idéalement à l'extérieur. À l'intérieur dans une pièce grande et dégagée.

Matériel:

Aucun.

Jeu:

Il faut former des équipes: 2, 3 ou 4, selon le nombre de participants. On calculera un minimum de 3 personnes par équipe.

Le premier joueur de chaque groupe se met à quatre pattes. Le deuxième l'imite tout en agrippant les chevilles du premier avec ses mains. Les autres joueurs prennent cette même position. Le maître de jeu fait connaître quel est le fil d'arrivée qu'il a choisi. Cela peut être un arbre, une poubelle si on joue à l'extérieur ou une chaise, un meuble si c'est à l'intérieur.

Le maître de jeu donne le signal de départ. Le premier joueur de chaque équipe commence à se mouvoir. Ses partenaires, tout en le suivant, doivent garder le rythme. Chacun des «mille-pattes» s'active de la même manière. Le plus rapide gagne pour autant qu'il n'ait pas perdu une de ses «pattes» en cours de route!

Quelques variantes:

Le maître de jeu peut ajouter un règlement en donnant une pénalité au «mille-pattes» dont la chaîne est temporairement brisée lors de la course. Exemple: le premier joueur doit alors aller se placer à la queue ou tous les membres de l'équipe doivent reculer dans un même élan de trois pas.

LE SAC EN PAPIER

Catégorie:

Pour tous.

Nombre de joueurs:

Minimum: 2. Maximum: illimité. Un maître de jeu.

Matériel:

Un sac en papier d'épicerie possédant une certaine rigidité. Une paire de ciseaux.

Jeu:

Le but de ce jeu est très simple: ramasser avec les dents le sac posé debout sur le plancher ou le sol, les mains dans le dos, sans tomber et sans mettre une main par terre.

Facile à première vue, croirez-vous? Mais il n'est pas donné à tous d'avoir un bon sens de l'équilibre et une grande flexibilité. Chacun des participants doit donc passer cette première étape. Ceux qui la réussissent peuvent accéder au niveau suivant.

À ce stade, la difficulté augmente, car après chaque tour complet, le meneur du jeu doit découper une bande de 5 cm (2 po) du haut du sac!

Conséquemment, il sera plus difficile de ramasser avec les dents le sac de papier ainsi raccourci. Seuls les joueurs vraiment habiles, flexibles et possédant un sens développé de l'équilibre se trouveront parmi les finalistes qui auront le nez près du sol. Vous verrez!

CHAPITRE 2

LES JEUX DE MOTS

Les mots occupent une place unique dans nos vies, puisqu'ils servent à traduire nos pensées avec subtilités et nuances. Ils nous permettent ainsi de communiquer avec les autres et nous offrent même l'occasion de faire de bons jeux de mots ou, mieux encore, de jouer avec les mots... au sens figuré et au sens propre de l'expression! Je vous suggère des jeux de mots à pratiquer en société, histoire de décupler votre plaisir et celui des autres.

LE BON SENS

Catégorie:

8 ans et plus.

Nombre de joueurs:

Minimum: 3. Maximum: illimité.

Matériel:

Un dictionnaire. Des feuilles de papier identiques pour chaque joueur ainsi qu'un crayon pour chacun d'eux.

Jeu:

Un joueur est désigné par les autres pour entamer la partie, peu importe de qui il s'agit puisque, tour à tour, les autres joueurs devront faire le même exercice que lui. Il doit en effet chercher un mot inhabituel dans le dictionnaire et en recopier la définition. Après quoi, il annonce aux autres participants le mot choisi.

Chacun d'eux doit inscrire sur sa feuille ce qu'il croit être la définition juste du mot énoncé. Le participant débutant rassemble toutes les définitions et les lit à voix haute incluant la sienne: la définition réelle du nom. Les autres joueurs votent pour la définition qu'ils pensent être la bonne.

Si une définition erronée est choisie par un des participants, le joueur qui l'a écrite obtient un point. Si un joueur trouve la bonne réponse, il se voit alors attribuer deux points. Lorsque le premier tour est terminé, un nouveau joueur cherche dans le dictionnaire un mot inusité.

Variantes:

Pour accroître la difficulté, si tous les participants sont très calés, l'utilisation des noms propres peut être permise ou encore celle d'un dictionnaire d'une langue étrangère incluant la traduction dans la langue usuelle des participants. L'espagnol et l'allemand, par exemple, peuvent être des solutions de rechange de premier plan, pour autant qu'aucun des joueurs ne soit familiarisé avec la langue choisie.

LE CADAVRE EXQUIS

Catégorie:

12 ans et plus.

Nombre de joueurs:

Minimum: 5. Maximum: illimité.

Matériel:

Une tablette de papier et un stylo pour chaque joueur.

Jeu:

Ce jeu était très populaire auprès des surréalistes durant les années 30... Voici de quoi il s'agit. Chacun prend une feuille de papier et y inscrit un sujet, peu importe lequel. Exemple: «la plume». Il doit ensuite plier cette feuille vers l'intérieur de telle sorte que personne ne puisse lire ce qui y est écrit. Il passe ce papier à son voisin de gauche ou de droite. Puis, chaque participant inscrit sur un nouveau bout de papier un qualificatif pour ce sujet. Exemple: «vieillotte». Il plie cette feuille et la passe de nouveau à son voisin.

Cette opération doit être répétée pour le verbe (exemple: est); pour le complément (exemple: sur ma tante) ainsi que pour le qualificatif de ce complément (exemple: indiscrète).

Lorsque le tour de table est terminé, chacun rassemble les mots recueillis pour en faire une phrase et la lit tout haut. Dans notre exemple, la phrase obtenue est donc: «La plume vieillotte est sur ma tante indiscrète.»

Il s'agit en somme d'une création collective dont les phrases ainsi obtenues peuvent être étonnantes par leur profondeur, leur absurdité ou leur drôlerie.

Le nom «Le cadavre exquis» donné à ce jeu amusant s'inspire de la première phrase réalisée selon ces règles par les grands écrivains du mouvement surréaliste de l'époque et qui se lisait comme suit: «Le cadavre» «Exquis» «Boira» «Le vin» «Nouveau».

DÉRIVONS!

Catégorie:

8 ans et plus. (Les enfants plus jeunes peuvent y jouer, pour autant qu'ils fassent équipe avec un adulte.)

Nombre de joueurs:

Minimum: 2. Maximum: illimité. Un maître de jeu.

Matériel:

Un dictionnaire. Des feuilles de papier. Des ciseaux. Un contenant.

Jeu:

Le maître de jeu doit procéder à des préparatifs. En s'armant d'un dictionnaire, il lui faut dénicher les expressions dérivées d'un mot courant. Exemple: pied ou tête. Pour le mot «pied», il existe une trentaine de dérivés tels que pied-de-poule, pied de lit, mettre à pied, etc. Avec le mot «tête», le choix est aussi vaste: tête-à-queue, avoir une bonne tête, etc.

Le maître de jeu inscrit chacune de ces expressions sur un morceau de papier différent. Puis, il plie ces papiers et les place dans un contenant. Il est maintenant fin prêt pour démarrer la partie. Chaque participant pige un bout de papier et, après avoir lu l'expression inscrite, la mime.

Si le maître de jeu devine de quelle expression dérivée il est question, il peut venir en aide aux autres joueurs en dévoilant quelques indices de son cru. Dans pareil cas, il peut arriver que le maître de jeu commette une bévue en se trompant sur l'exactitude de l'expression qui est mimée. Il s'ensuit une confusion des plus amusantes pour tous!

HISTOIRE DE MOTS

Catégorie:

Pour tous.

Nombre de joueurs:

Minimum: 8. Maximum: illimité. Multiple de 4. Un maître de jeu.

Matériel:

Des enveloppes contenant 5 mots chacune. Inclure les mêmes mots pour chaque équipe et calculer une enveloppe par groupe.

Jeu:

Le maître de jeu réunit les participants et le regroupe en 4 équipes. Un chef de troupe est désigné pour chacune d'elles.

Le maître de jeu remet une enveloppe à chacun de ces meneurs. Dans un laps de temps alloué par le maître de jeu, chaque équipe doit imaginer une histoire avec les mots découverts dans l'enveloppe. Les équipes n'ont surtout pas le droit d'en faire une simple énumération.

Chaque troupe présente ensuite son histoire. Dans ce jeu, personne n'est déclaré vainqueur, puisque l'imaginaire peut prendre des formes aussi multiples que diverses et toutes aussi valables les unes que les autres.

Quelques trucs et variantes:

Pour ajouter à la difficulté de la construction de l'histoire, le maître de jeu peut choisir d'utiliser des mots rarement employés ou encore en augmenter le nombre. Et plutôt que de raconter seulement une histoire, ce dernier peut aussi exiger que les participants la jouent comme s'il s'agissait d'une saynète.

DES MOTS QUI ONT DU CORPS

Catégorie:

12 ans et plus.

Nombre de joueurs:

Minimum: 2. Maximum: illimité. Un maître de jeu.

Matériel:

Des feuilles de papier. Des stylos. Un dictionnaire.

Jeu:

Avant que la partie s'amorce, le maître de jeu doit répertorier, à l'aide d'un dictionnaire pour plus de facilité, des expressions qui sont intimement liées à une partie du corps ou à un organe. Il en dresse une liste qu'il conserve jalousement.

Lorsque le maître de jeu nommera une expression, les participants devront inscrire le nom de la partie du corps ou de l'organe auquel, selon eux, elle se rattache. Celui qui aura obtenu le plus de bonnes réponses sera déclaré gagnant.

Voici une liste avec les réponses attitrées:

Expressions	Réponses
Perdre son emploi.	Pied pour mise à pied.
Elle est fromagée.	Tête pour tête fromagée.
Un dessert succulent.	Doigt pour doigt-de-dame.
Elle est nerveuse.	Chair: qualificatif utilisé en boucherie pour désigner certaines pièces de viande.
Le lynx le possède.	Œil pour œil de lynx.
Du vrai papier sablé!	Peau, car sablée se dit d'une peau abîmée et desséchée.
Avoir de la chance.	Veine.
Elle est une œuvre.	Main pour main-d'œuvre.
Elle est si belle et pourtant...	Jambe. Ça me fait une belle jambe!
Au cœur même...	Sein. Au sein même de...
Etc.	

NI OUI NI NON

Catégorie:

Pour tous.

Nombre de joueurs:

Minimum: 6. Maximum: illimité. En nombre pair. Un maître de jeu.

Matériel:

Un chronomètre ou une montre.

Jeu:

Ce jeu-questionnaire télédiffusé sur Radio-Canada a remporté la faveur du public pendant longtemps, il y a plusieurs années. Il est facile d'en comprendre la raison. Il s'agit en effet d'un jeu tout simple, mais combien divertissant!

Deux équipes comprenant un nombre identique de joueurs sont formées. Les équipes se font face et le maître de jeu, debout ou assis, a comme rôle premier de superviser le bon déroulement de la partie. Il aura à trancher en cas de litiges... qui risquent fortement de survenir!

Une équipe est désignée et ses membres deviennent les «répondants». Les participants de l'équipe adverse sont les «interrogateurs» pour l'instant. Le but de ce jeu est très facile. Les équipiers répondants ne doivent utiliser «ni oui ni non» pour répondre aux questions dont les bombardent leurs adversaires, et ce, durant un premier tour qui dure deux minutes.

Si le défi est relevé, l'équipe de répondants marque un point. Sinon, ce point va à l'équipe adverse. Au tour suivant, les répondants deviennent les interrogateurs. Le plus haut pointage détermine les gagnants.

LE TÉLÉPHONE ARABE

Catégorie:

Pour tous.

Nombre de joueurs:

Minimum: 3. Maximum: illimité.

Matériel:

Aucun.

Jeu:

Il s'agit d'un très vieux jeu de société dont la date de création demeure inconnue, mais qui s'inspire d'une époque où les communications ne s'appuyaient pas sur la technologie.

En ces temps reculés, la transmission rapide des nouvelles se faisait par le relais d'informateurs ou de messagers. Ce mode de communications se nommait *téléphone de brousse* ou *téléphone arabe*. Certains peuples vivant dans des régions éloignées et peu développées utilisent encore cette façon de transmettre les informations d'un point distant à un autre.

Les joueurs sont placés en ligne ou en cercle, debout ou assis. Un participant est désigné par les autres pour commencer le jeu. Son rôle consiste à chuchoter une phrase à l'oreille de son voisin.

Ce dernier doit reprendre cette même phrase et la souffler à l'oreille de son propre voisin. Et ainsi de suite jusqu'au dernier joueur, qui doit claironner tout haut la phrase transmise par téléphone arabe. L'énoncé final et la phrase initiale seront fort probablement très différents l'un de l'autre pour la plus grande joie de tous!

LE TRAVAIL À LA CHAÎNE

Catégorie:

12 ans et plus.

Nombre de joueurs:

Minimum: 8. Maximum: 20. En nombre pair. Un maître de jeu.

Matériel:

Aucun.

Jeu:

Ce jeu s'inspire d'une émission télévisée éponyme qui a fait les beaux jours de la Société Radio-Canada pendant plusieurs années... Plus les participants sont verbo-moteurs, plus leurs chances de gagner sont imposantes! Vous allez voir...

Les joueurs sont répartis en 2 équipes associant un même nombre de participants. Assis au milieu des équipes qui se font face, de manière que l'assemblée forme un «U», le maître de jeu signifie le début de la partie en attribuant un mot (peu importe lequel) à une des deux équipes.

Le premier joueur doit faire une phrase qui commence par le mot en question. Le second participant devra, pour sa part, continuer le récit en composant une nouvelle phrase qui est amorcée avec le dernier mot employé par le joueur précédent. Exemple: le maître de jeu attribue le mot «Ciel». Le premier joueur déclare: «Le ciel est du même bleu que la chemise de Roger.»

Le deuxième participant reprend en disant: «Roger vient tout juste de sortir de prison.» Et ainsi de suite jusqu'à ce que toute l'équipe ait joué. Toutefois, chaque joueur ne dispose que de 10 secondes (délai supervisé par le maître de jeu) pour concocter une phrase, et la chaîne doit être complétée en deçà de 1 minute.

Si la chaîne est brisée, l'équipe adverse entre en jeu. Pour chaque chaîne complétée dans les délais requis, un point est attribué. Le pointage est calculé lorsque les deux équipes ont pu jouer à l'intérieur d'un même tour. Au tour suivant, le maître de jeu attribue un nouveau mot de départ à la seconde équipe. En cas de défaillance de cette dernière, la première équipe a alors droit de réplique. Durant ce jeu, le temps file à la vitesse de l'éclair et ceux qui manquent d'imagination le constateront rapidement...

CHAPITRE 3

LES JEUX D'OBSERVATION

Chacun de nous aime bien se targuer de posséder une intelligence vive. Eh bien, certains jeux d'observation font appel à cette caractéristique dans son état le plus évolué! D'autres, par contre, sont de véritables attrape-nigauds: leur solution est si simpliste qu'elle passe totalement inaperçue à l'esprit des génies!

Voici donc des jeux d'observation soit complexes, soit étonnamment simples, mais surtout susceptibles de berner les plus fins observateurs. Lorsque vous conviez vos invités à participer à ce genre de jeux, évitez de leur dire toutefois qu'il s'agit d'un jeu d'observation. Ainsi, la plupart croiront se trouver dans un jeu de stratégie et se creuseront les méninges pour votre plus grand amusement et celui des autres...

LE CHEF D'ORCHESTRE

Catégorie:

Pour tous.

Nombre de joueurs:

Minimum: 5. Maximum: illimité. Un chef d'orchestre.

Matériel:

Aucun.

Jeu:

Par un tirage au sort, un joueur est désigné pour commencer la partie. Pour ce faire, il doit s'isoler du groupe, idéalement dans une autre pièce. Si la partie se déroule à l'extérieur, il doit faire dos aux autres participants et être assez éloigné pour ne pas entendre ce qu'ils complotent...

Un chef d'orchestre est désigné par les participants assis par terre en cercle. Muni d'une baguette imaginaire, le chef d'orchestre devra faire semblant de diriger une symphonie très complexe par des mouvements rapides et variés. Les autres joueurs doivent imiter la gestuelle du chef d'orchestre.

Le participant écarté est rappelé dans le jeu. Il doit alors s'installer en plein centre pour tenter de deviner quelle est l'identité du meneur. Il dispose de trois chances. S'il réussit cette identification, il conserve son poste et récolte une clé de sol. S'il échoue, on lui présente le chef d'orchestre et il entre dans le cercle des joueurs. Quant au chef d'orchestre, c'est désormais à son tour d'être mis à l'écart.

La «musique» continue jusqu'à ce qu'un joueur ait mérité cinq clés de sol ou le nombre déterminé selon le temps dont disposent les musiciens...

LA COUVERTURE

Catégorie:

16 ans ou plus selon les intentions des participants.

Nombre de joueurs:

Minimum: 4. Maximum: illimité. Un jury.

Matériel:

Une grande couverture.

Jeu:

Un jury constitué de quelques personnes est composé parmi les joueurs. Le nombre des jurés varie selon le nombre de participants. Après quoi, le reste du groupe est «séquestré» dans une autre pièce.

Les participants sont appelés à tour de rôle à passer dans la pièce où se trouve le jury où chacun devra se coucher par terre en se recouvrant de la couverture. Ensuite, l'un des membres du jury lance au joueur une affirmation du genre: «Après concertation, nous avons jugé qu'il y a un morceau de vêtements sur toi qui ne nous plaît pas. Sais-tu lequel?»

Le participant a habituellement comme réflexe de suggérer une pièce de son habillement, alors qu'en fait, il devrait répondre: «La couverture!» S'il émet une réponse fausse, il doit enlever la pièce nommée ou un autre morceau, selon les règles établies dès le départ.

Le jeu se poursuit jusqu'à ce qu'un des participants trouve la bonne réponse ou jusqu'à ce que les bonnes mœurs du groupe aient atteint leurs limites!

Quelques variantes:

Il est possible d'apporter une variation à ce jeu pour le rendre plus «décent». Plutôt que d'avoir à se dévêtir partiellement lors d'une mauvaise réponse, le jury peut exiger un autre type de pénalité: une amende en argent, l'obligation de faire le service ou de vider les cendriers, par exemple.

CROISÉS OU DÉCROISÉS?

Catégorie:

Pour tous. De préférence, 8 ans et plus.

Nombre de joueurs:

Minimum: 5. Maximum: illimité. Un maître de jeu.

Matériel:

Un nombre de chaises égal au nombre de participants. Deux crayons ou deux ustensiles identiques, au choix.

Jeu:

Tous les participants doivent s'asseoir sur des chaises placées en cercle. Le maître de jeu a en main deux crayons et il les passe à son voisin de gauche en croisant ou non les bras et en déclarant à haute voix au même instant: «Croisés!» ou «Décroisés!»

Celui qui reçoit les objets doit les transmettre à son voisin de gauche en croisant ou en décroisant les bras et en répétant l'une ou l'autre des appellations autorisées. Le maître de jeu doit ensuite spécifier toujours de façon très audible s'ils étaient bien «croisés» ou «décroisés».

Le problème présenté à tous les participants est de deviner la raison pour laquelle ces mots sont énoncés. En fait, peu importe la position des bras ou des objets lors du transfert car la réponse s'appuie sur... la position des jambes du donneur! Il y a de fortes chances que les objets fassent plusieurs fois le tour des joueurs avant que quelqu'un découvre la réponse correcte.

Quelques trucs:

Pour ajouter au problème, le maître de jeu prendra soin de croiser à la fois les jambes et les bras à son tour et de décroiser tous ces membres au tour suivant. Sa gestuelle devra évidemment être subtile afin de tromper l'œil le plus vigilant. Outre la position des bras, le maître de jeu s'amusera à augmenter la difficulté en croisant également les objets qui sont transmis de l'un à l'autre.

DE QUEL PIED?

Catégorie:

16 ans et plus, ou selon les intentions des participants.

Nombre de joueurs:

Minimum: 2 couples. Maximum: nombre de couples illimité. Un jury.

Matériel:

Un mur.

Jeu:

La forme de ce jeu ressemble à celle de «La Couverture» vue précédemment. Il faut composer un jury de quelques personnes. Le reste du groupe est «séquestré» dans un endroit. Chacun leur tour, les couples participants doivent comparaître devant les jurés dans une autre pièce.

Le couple à être jugé doit se placer côte-à-côte et s'adosser à un mur, les talons bien collés au pied du mur. Un membre du jury demande alors à un des partenaires du couple de faire quelques pas vers l'avant. Un autre juré l'interroge ensuite de la sorte: «De quel pied es-tu parti?»

Le participant répondra automatiquement qu'il est parti du pied droit ou du pied gauche, selon le geste qu'il aura précédemment fait, alors qu'il devrait répondre: «Je suis parti du pied du mur!»

À chaque mauvaise réponse, le partenaire qui est resté adossé au mur, doit retirer un vêtement, payant ainsi pour la mauvaise réponse de l'autre participant. L'opération recommence jusqu'à ce que la réponse correcte soit trouvée ou jusqu'à ce que la décence le permette.

Quelques variantes:

Les plus puritains préféreront un autre type de châtiment: une contribution financière ou une pénalité les obligeant à courir sans répit dans la maison pendant cinq minutes, etc.

JE SUIS MALADE!

Catégorie:

Pour tous.

Nombre de joueurs:

Minimum: 5. Maximum: illimité. Un maître de jeu.

Matériel:

Aucun.

Jeu:

Le maître de jeu désigne un participant pour camper le rôle du médecin qui devra diagnostiquer de quelle(s) maladie(s) souffrent les autres joueurs... Le médecin doit alors s'isoler immédiatement dans une autre pièce.

Lorsque le maître de jeu est assuré que le bon docteur ne peut rien entendre, il explique la teneur du jeu aux autres participants: tous ne doivent pas faire semblant qu'ils sont victimes d'un virus mystérieux, mais ils doivent plutôt imiter leur voisin de gauche. En fait, toute l'assemblée est subitement victime d'un transfert de personnalité, ce que le médecin ignore évidemment.

Le maître de jeu demande de toute urgence au médecin de réintégrer la salle. Ce dernier, par d'habiles et, éventuellement, de fort nombreuses questions posées à tour de rôle aux joueurs, devra établir sans défaillir le type de maladie dont chacun est atteint. Le hic, c'est qu'il ignore qu'il est un médecin spécialisé en psychiatrie, car tous les concurrents sont un peu... timbrés! Ainsi, si Jacques, Alain et Carole sont assis les uns à côté des autres, Jacques devra imiter Alain et Alain devra imiter Carole. Il faudra un médecin très habile pour deviner la cause des «maux» de chacun.

Quelques trucs et variantes:

Pour rendre la tâche plus ardue au docteur, quelques joueurs pourront simuler les symptômes d'une maladie physique que leur voisin de droite imitera...

Le maître de jeu peut également désigner toute une équipe de médecins, ce qui risque de provoquer des diagnostics diamétralement opposés.

TROUVEZ LA CARPE!

Catégorie:

Pour tous.

Nombre de joueurs:

Minimum: 5. Maximum: illimité. Un maître de jeu.

Matériel:

Aucun.

Jeu:

Les participants doivent se placer à genoux, les yeux fermés. Le maître de jeu veillera à ce que personne ne les ouvre. Si tel est le cas, le joueur fautif est aussitôt disqualifié. Chaque membre de la partie devient pour l'occasion un animal quelconque, peu importe son identité pour autant qu'il n'y ait pas deux participants qui imitent la même bête.

Toujours les yeux bien clos, les joueurs se déplacent sur les genoux en s'approchant des autres concurrents un à un et en imitant le cri de l'animal qui lui est personnel, à l'exception d'un seul que le maître de jeu désignera en lui touchant la tête: ce participant se transforme aussitôt en carpe. Il ne bouge pas et n'émet aucun son, car vous le savez bien, une carpe, c'est muet!

Le but du jeu consiste pour les autres participants à découvrir l'identité de cette carpe muette.

Ainsi, lorsqu'un joueur rencontre un autre animal, il le salue du cri de son animal. L'autre joueur lui répond en faisant entendre son propre cri... à moins qu'il ne s'agisse de la tant recherchée carpe.

Si un participant rencontre la fameuse carpe, il devient alors carpe lui aussi. Le jeu prend fin lorsque tous sont devenus muets... Plus facile à planifier qu'à réaliser!

À LA RECHERCHE DU SOULIER PERDU

Catégorie:

Pour tous.

Nombre de joueurs:

Minimum: 6. Maximum: illimité. Un maître de jeu.

Matériel:

Aucun, si ce n'est que chaque participant doit être chaussé.

Jeu:

Le maître de jeu forme 2 équipes réunissant chacune un nombre égal de joueurs. Il invite ensuite tous les participants à enlever leurs souliers et à les placer dans un gros tas où chaque paire sera soigneusement séparée.

Au signal donné par le maître de jeu, un membre de chaque équipe se dirige vers la montagne de souliers et tente d'en récupérer un appartenant à un de ses partenaires. Si le soulier rapporté est bien celui d'un des ses coéquipiers, ce dernier s'en chausse. Le joueur chaussé part à la recherche d'un autre soulier. Sinon, le joueur précédent devra recommencer sa quête tout en replaçant le soulier de l'adversaire dans le tas.

Lorsque tous les membres d'un groupe sont chaussés, ils doivent courir jusqu'à un point précis, préalablement déterminé par le maître de jeu. Cette équipe est déclarée grande gagnante, car les autres sont demeurés des va-nu-pieds!

VRAI OU FAUX

Catégorie:

Pour tous. Idéalement, 8 ans et plus.

Nombre de joueurs:

Minimum: 2. Maximum: illimité. Un maître de jeu à l'esprit vif et inventif.

Matériel:

Aucun.

Jeu:

L'intérêt du jeu «Vrai ou Faux» repose totalement sur le maître de jeu, qui devra ici faire preuve d'une imagination débordante et dont l'intelligence devra carburer aux quarts de seconde!

De l'index de sa main droite, le maître de jeu doit taper sur chacun des doigts de sa main gauche en émettant un énoncé. L'assistance doit conséquemment départager le vrai du faux. Le maître du jeu ne doit donner aucun indice pour aider les participants, si ce n'est que lorsque arrivera le temps d'une déclaration véridique, il la fera précéder du mot «Regardez».

Exemple: le maître de jeu tape de son index de la main droite sur le pouce de la main gauche en disant: «Je suis allé aux Bahamas.» Cette affirmation est donc fausse, puisqu'elle n'est pas précédée du mot «Regardez». En frappant le majeur cette fois-ci, il dira: «Regardez, mon ongle est un peu sale.» Cette phrase est vraie, puisque le mot «Regardez» s'y trouve. Évidemment, l'ongle du maître de jeu devra réellement être un peu sale! Est déclaré gagnant le joueur qui met à jour ce stratagème.

CHAPITRE 4

LES JEUX DE DÉS

Ils sont minuscules. Ils se glissent facilement dans une poche ou un sac à main. On peut les utiliser pour jouer dès qu'une surface plane s'offre à notre regard. Des milliers de jeux ont été inventés spécialement pour eux.

Les Grecs, qui attribuaient l'invention des dés à Palamède du temps de l'historique siège de Troie, en étaient de fervents adeptes. Une histoire raconte même qu'on aurait joué aux dés la tunique du Christ, au pied même de sa croix! Les dés étaient aussi connus en Égypte, en Orient et en Inde.

Au Moyen Âge, les bien nantis comme le peuple vouaient une véritable passion aux jeux de dés, et ce, partout en Europe.

Les dés ont engendré, avec l'association de l'évolution des chances, le calcul des probabilités. Que d'exploits imputables à de simples petits cubes faits d'os, d'ivoire, de bois ou de matière plastique! Les jeux proposés dans ce chapitre s'adressent à tous les amateurs de stratégie et de hasard.

D'ailleurs, saviez-vous que le mot «hasard» vient de l'arabe *al-zahr*, dont la signification est «dé à jouer»? Intéressant, non?

LE 421

Nombre de joueurs:

Minimum: 2. Maximum: illimité.

Matériel:

11 jetons. 3 dés.

Jeu:

Le 421 est sans aucun doute l'un des jeux de dés les plus populaires de notre époque. L'objectif est simple: réaliser la plus forte combinaison possible en lançant les 3 dés.

Ces combinaisons sont, par ordre décroissant:

- le 421 (un 4, un 2, un 1 [as]) et celui qui a réalisé la plus mauvaise combinaison recevra 10 jetons;

- les paires d'as, avec un dé d'un autre point; dans ce cas, la plus mauvaise combinaison équivaut à 7 jetons;

- les brelans (3 dés identiques); ici, la pénalité est de 6 jetons;

- les séquences 6-5-4, 5-4-3-, 4-3-2, 3-2-1 qui équivalent à 2 jetons;

- les autres possibilités s'échelonnent en ordre décroissant de 6-6-5 à 2-2-1, la dernière se nommant la «nénette» et valant chacune 1 jeton.

- Il existe deux phases distinctes durant une partie: la «charge» pendant laquelle le joueur ayant la plus mauvaise combinaison reçoit les jetons du pot et la «décharge» pendant laquelle le gagnant donne au perdant des jetons de sa propre part. Est déclaré gagnant le joueur qui n'a plus de jetons en sa possession.

LE 7

Nombre de joueurs:

Minimum: 2. Maximum: illimité.

Matériel:

Du papier. Des crayons. 2 dés.

Jeu:

À tour de rôle, chaque joueur lance les 2 dés. Le voisin de droite doit toujours annoncer la somme des points obtenus. Chaque joueur peut lancer les dés autant de fois qu'il le désire et recueillir le total des points que le hasard lui concède. Mais si un lancer des 2 dés donne un total de 7, tous les points du tour sont perdus! Il faut donc savoir s'arrêter à temps.

Tant qu'un joueur décide de relancer les dés, il doit annoncer son intention en disant: «Je tiens.» Dès qu'il se contente du total réalisé, il l'annonce en déclarant: «Je passe» et il remet les dés à son voisin de gauche. Par exemple, le premier joueur, après avoir lancé les deux dés une première fois, obtient un total de 11 points. Il décide de poursuivre sa lancée en déclarant: «Je tiens.» Il joue de nouveau et le résultat des deux dés est de 8 cette fois-ci. Prudent, il décide de terminer son tour en disant: «Je passe.» Le total de ses points sera donc de $11 + 8 = 19$.

Les points du tour sont définitivement acquis et viennent s'ajouter au total des tours précédents. Si, par contre, ce même joueur avait obtenu un total de 7 au deuxième tour, il perdrait les 11 points accumulés précédemment. Dès qu'un «7» apparaît au cours d'un tour, les dés doivent changer de main. De plus, lorsque les 2 dés lancés ont la même valeur, les points du coup qui suivra seront doublés. Par exemple, un joueur obtient un double de 6. Il rejoue et le résultat suivant se chiffre à 8. Le total de ses points pour ce second tour est donc de 16 ($8 \times 2 = 16.$) Le premier joueur qui a atteint 200 points est déclaré vainqueur.

LE CRAPS

Nombre de joueurs:

Minimum: 2. Maximum: illimité.

Matériel:

Un tableau. Une craie. 2 dés. Des mises.

Jeu:

Le premier joueur à lancer les dés est nommé «lanceur». Avant de faire son premier tir, il doit miser sur le coup qu'il croit gagnant et invite les autres participants à parier.

Dès que les jeux sont faits, le lanceur joue son coup de dés. Si le lanceur obtient un total de 2, de 3 ou de 12, il perd automatiquement. D'autre part, si le résultat des 2 dés se chiffre à 7 ou à 11, il gagne systématiquement. S'il obtient les autres résultats potentiels, soit 4, 5, 6, 8, 9 ou 10, il doit jouer jusqu'à ce qu'il obtienne de nouveau un de ces résultats ou jusqu'à ce qu'il sorte un 7. Dans le dernier cas, il perd, tandis qu'avec les autres éventualités, il gagne.

Le lanceur gagnant joue une deuxième fois et garde la main tant qu'il ne perd pas.

LES DÉS MENTEURS

Nombre de joueurs:

Minimum: 3. Maximum: illimité.

Matériel:

Un gobelet. 10 jetons par joueur. 5 dés de poker.

Jeu:

Les figures à réaliser au cours de ce jeu sont les mêmes que celles du poker d'as, soit paire, double paire, séquence, brelan, *full*, carré et poker.

Après avoir brassé les dés à l'aide du gobelet, le premier joueur, choisi au hasard d'un coup de dés, observe discrètement le résultat obtenu en soulevant à peine le contenant.

Ensuite, il annonce une combinaison, vraie ou fausse. Son voisin de gauche peut accepter ou refuser cette annonce. S'il la refuse, il devra préciser s'il croit qu'elle est fausse en claironnant: «Bluff!» Si cette décision s'avère juste, le premier joueur doit lui donner un jeton et un autre joueur devient le meneur.

Par contre, si le voisin de gauche croit que l'annonce faite est véridique, il l'affirmera tout haut en disant: «C'est bon!» Le premier joueur lui passera à ce moment les dés, qui seront toujours camouflés sous le gobelet. Ce sera alors au tour du deuxième joueur de faire une annonce, et ainsi de suite. Le joueur sans jetons est éliminé.

CHAPITRE 5

LES JEUX DE STRATÉGIE

Les jeux de stratégie ne sont pas prisés par tous, car ils exigent plus d'efforts que tous les autres types de jeux. Puisqu'ils font appel à la logique, à la concentration et à l'intelligence, ils engendrent des défis intellectuels des plus fascinants. Souvent aussi, les parties des jeux de stratégie durent un bon moment. Elles peuvent en effet s'étaler sur une ou plusieurs heures, voire sur quelques journées entières! Pour les plus patients et ceux qui ne craignent pas l'échec, voici donc quelques suggestions de jeux de stratégie...

LES DAMES

Catégorie:

6 ans et plus.

Nombre de joueurs:

Minimum: 2. Maximum: 4.

Matériel:

Un damier. 20 pions.

Jeu:

Les origines de ce jeu de stratégie se sont perdues dans la nuit des temps. On a même trouvé des jeux très ressemblants dans les pyramides égyptiennes! En 1547, Anto Torquemeda a publié le premier livre sur les Dames à Valence; il s'agissait toutefois d'un jeu ne comprenant que 64 cases. Ce serait en 1725 qu'un Français l'aurait modifié pour obtenir celui qui est toujours pratiqué actuellement et qui comporte 100 cases. D'ailleurs, la Fédération mondiale du Jeu de Dames fait la promotion de cette dernière version.

Puisque ce jeu de stratégie est très facile à assimiler, et donc très populaire dans le monde entier, il existe plusieurs façons d'y jouer. Ses fervents adeptes ont d'ailleurs apporté de nombreuses variations aux règles de base. Toutefois, je vous présente ici la façon d'y jouer selon les instances officielles internationales.

Le damier doit comporter 100 cases: 50 noires et 50 blanches. (Sur le marché, les Jeux de Dames marient fréquemment le noir et le rouge.) Le damier doit être placé de telle sorte que chaque joueur ait à sa gauche une case blanche. Chacun doit ensuite placer ses 20 pions sur les cases blanches des 4 premières rangées qui lui font face.

Le jeu consiste à capturer ou à immobiliser toutes les pièces de l'adversaire. Le joueur qui possède les pions blancs bénéficie du privilège de commencer la partie.

Tour à tour, les joueurs avancent diagonalement un pion sur la case voisine gauche ou droite, à raison d'une seule case par coup. Les pions ne peuvent pas reculer. Une pièce touchée est réputée jouée. Lorsqu'un pion est mis en présence d'un pion adverse dont la case de derrière est libre, il passe par-dessus ce pion, se pose sur cette case et capture ledit pion. Éventuellement, il prend, si les mêmes conditions s'appliquent, un deuxième pion, un troisième pion, etc.

Les captures s'effectuent en avant et en arrière. Elles sont obligatoires. Lorsque le joueur a le choix de faire des prises dans deux sens, il doit diriger son pion dans la direction qui promet le plus grand nombre de captures.

Si un pion parvient à la dixième rangée du jeu sans avoir de prise à faire sur la case de destination, ce dernier se transforme en Dame. Pour le reconnaître, le joueur superpose deux pions.

La Dame peut parcourir dans un même coup, mais toujours diagonalement, toutes les cases d'une ligne, en avant et en arrière, à droite comme à gauche, à condition qu'aucun obstacle ne l'en empêche.

La Dame capture, peu importe le nombre de cases la séparant d'un pion, toute pièce suivie d'une ou de plusieurs cases vides. Lorsque, sur son trajet, elle croise une ligne où d'autres pièces sont en prise, c'est-à-dire pouvant être capturées, elle doit bifurquer sur cette ligne et rafler également ces pièces. La capture la plus importante doit absolument être accomplie. Ainsi, si un joueur peut capturer d'un côté 5 pions et de l'autre, 4 pions, il devra obligatoirement diriger sa pièce vers les 5 pions, et ce, même si sa stratégie initiale peut s'en trouver affaiblie. Si un joueur est placé devant la possibilité de capturer une Dame d'une part, et un pion d'autre part, il capture au choix la Dame ou le pion.

Lorsqu'il ne reste sur le damier que 3 dames contre 1, le possesseur des 3 pièces n'a plus que 15 coups à jouer pour prendre la dame unique.

La partie se termine lorsqu'un joueur a capturé toutes les pièces de son adversaire ou lorsque ce dernier n'est plus capable de jouer. Toutefois, en fin de partie, si un joueur répète trois fois de suite le même coup, la partie est déclarée nulle.

Si vous souhaitez obtenir plus de renseignements sur les multiples possibilités qu'offre le jeu de Dames, n'hésitez pas à communiquer avec l'Association québécoise des joueurs de Dames dont les coordonnées sont les suivantes:

4545, avenue Pierre-de-Coubertin
C. P. 1000, succursale M
Montréal (Québec) H1V 3R2
Tél.: (514) 252-3032
Courriel: dames@fqjr.qc.ca

LE GO

Catégorie:

10 ans et plus.

Nombre de joueurs:

Minimum: 2. Maximum: 2.

Matériel:

Un *go-ban* et des pions appelés « pierres ».

Jeu:

Très populaire en Extrême-Orient, ce jeu de stratégie a probablement vu le jour en Chine voici au moins... 3 000 ans! Importé au Japon au VIIe siècle, il y connaît depuis une très grande popularité puisqu'il fut adopté par les moines bouddhistes, mais aussi par les militaires qui s'en servaient pour enseigner l'art de la guerre. Quel paradoxe!

Le Go se joue sur un plateau carré (le *go-ban*) sur lequel sont dessinées 19 lignes horizontales et 19 lignes verticales pour un total de 361 intersections. Pour les débutants, cependant, il est conseillé d'opter pour un *go-ban* de dimensions réduites qui comportent 9 lignes horizontales et 9 lignes verticales pour un total de 81 intersections. À noter que les règles de ce jeu de stratégie s'apprennent en quelques minutes et permettent aux débutants de faire rapidement des parties passionnantes.

Chaque joueur dispose d'un nombre, en principe, illimité de pions ou pierres: blanches pour l'un, noires pour l'autre. À tour de rôle, les deux joueurs déposent une pierre sur une des intersections de lignes.

Le but du jeu est de créer des «territoires» qui sont en fait des secteurs vides entourés par des pierres d'une même couleur, car chaque intersection à l'intérieur d'un territoire équivaut à un point.

Une fois qu'un joueur dépose une pierre sur une intersection, il ne peut plus la déplacer. Toutefois, l'adversaire peut la « capturer ». Pour effectuer une capture, ce dernier doit arriver à placer des pierres aux intersections adjacentes, verticales et horizontales. La capture de chaque pierre rapporte un point.

Retenez aussi que les pierres d'une même couleur alignées côte à côte s'appellent des « chaînes ». On peut capturer ces chaînes en utilisant le même procédé que dans la capture d'une pierre. Lorsqu'une chaîne est capturée d'un seul coup par l'adversaire, on dit alors qu'elle est *atari* car il n'existe qu'une seule intersection adjacente disponible. Dans le langage du Go, on dit qu'elle n'a plus qu'une seule « liberté ».

Pour jouer à ce jeu, il est essentiel de respecter deux règles primordiales, soit celle du « suicide » et celle du *ko*. La règle du suicide stipule qu'il est totalement interdit à un joueur de placer une pierre de telle sorte que son adversaire pourra automatiquement la capturer ou capturer la chaîne dont elle est inhérente, sauf si ce positionnement permet au joueur concerné de procéder à une capture. La règle du *ko* a pour but d'éviter la répétition sans fin des coups, résultats de plusieurs captures successives. Conséquemment, elle interdit de reproduire une situation identique à celle réalisée lors du tour précédent.

La partie se termine lorsque les deux joueurs passent consécutivement leurs tours. Est alors engendrée une situation baptisée le *seiki*. On compte les points à ce moment-là.

Selon les règles chinoises, il faut tout d'abord retirer du *go-ban* toutes les pierres prisonnières. Après quoi, chaque intersection du territoire d'un joueur ainsi que chacune de ses pierres encore présentes sur le plateau équivalent à un point. Le gagnant est celui qui a réussi à accumuler le pointage le plus important. Attention de ne pas oublier de calculer le *komi*!

Puisque commencer la partie représente un avantage certain, le joueur qui joue en second a droit à une compensation de 5½ points, la demie servant à éviter une partie nulle. Cette compensation est appelée le *komi*.

Selon la méthode japonaise du calcul des points, plutôt que de s'attarder aux pierres encore présentes sur le *go-ban*, chaque joueur devra plutôt compter le nombre de pierres adverses qu'il détient.

Truc:

Si vous ne disposez pas d'un *go-ban* ni de pierres, mais que vous ayez envie de jouer au Go immédiatement, tracez les 19 lignes horizontales et les 19 lignes verticales né-cessaires au jeu sur une feuille de papier ou un carton de grandes dimensions. Rem-placez les pierres par des pièces de mon-naie de valeurs différentes pour chaque joueur.

CHAPITRE 6

LES GRANDS CLASSIQUES ET CERTAINS JEUX À DÉCOUVRIR

Certains jeux de société sont absolument incontournables! Je considère même qu'il est indispensable de les avoir toujours à portée de main. Que des visiteurs arrivent à l'improviste ou que les heures s'allongent durant une journée maussade, ils deviendront vite prétextes à d'heureux moments de divertissement.

Pour constituer sa bibliothèque personnelle de jeux de société, on doit investir un peu de temps et d'argent, mais la rentabilité de cet investissement est à coup sûr assurée! Sagement rangés dans un placard, ces grands classiques n'attendront que votre bon vouloir.

Il ne faut pas non plus avoir peur d'oser: enrichissez donc votre collection de jeux moins connus, mais tout aussi excitants. En plus de faire un survol des grands classiques, je vous suggère quelques trouvailles de mon cru...

LA BATAILLE NAVALE

Bien des écoliers ont joué à la bataille navale pendant qu'un professeur s'évertuait vainement à capter leur attention... Elle est d'ailleurs loin cette époque où la seule façon de jouer à ce jeu était de prendre une feuille de papier, de la glisser dans un livre, cachée derrière la couverture de ce dernier. En effet, la compagnie Hasbro en propose plusieurs versions modernisées, dont une électronique, très conviviale.

Le but de ce jeu destiné aux 7 ans et plus s'inspire des grandes batailles navales. Les 2 joueurs doivent en effet couler le plus grand nombre de vaisseaux faisant partie de la flotte de leur adversaire, et ce, en tentant de découvrir leur position.

BOGGLE

Le jeu *Boggle* a célébré cette année ses 25 ans d'existence. C'est dire combien il est prisé par les amateurs de jeux de mots! Après avoir brassé les dés de lettres, les joueurs doivent, en 3 minutes, trouver le plus de mots possible formés de lettres adjacentes. Ce jeu a été conçu pour les 8 ans et plus et peut servir à divertir un nombre illimité de personnes. Il est un de mes préférés!

BOP IT

Qu'il est donc amusant, ce jeu électronique que j'ai découvert ces dernières années! En suivant le rythme d'une musique dont la cadence s'accélère au fur et à mesure que le temps s'écoule, le joueur doit frapper le *Bop It*, le serrer, le tirer!

Ce jeu est conçu de sorte qu'on puisse jouer à 3 jeux différents, en solitaire ou à plusieurs. Il s'adresse aux 8 ans et plus. Je vous l'assure, c'est vraiment une façon endiablée de vérifier vos réflexes. De plus, sa musique est si entraînante qu'il est difficile d'y résister!

CLUE

Où? Quand? Comment? Pourquoi? Depuis presque 50 ans, en compagnie du professeur Plum, du Colonel Mustard, de Mlle Scarlet et d'autres personnages tout aussi colorés, les familles jouent au *Clue*, ce jeu classique de détectives de Parker Brothers.

Le but de ce jeu est en effet de parvenir à élucider le mystère du moment par élimination logique. Le joueur qui parvient à déterminer l'identité du meurtrier, l'arme du crime et l'endroit où l'assassinat s'est produit gagne la partie. C'est pourquoi il a été conçu pour les 8 ans et plus.

LE JEU DE COCHONS

Pass Pigs, appelé tout simplement *Le jeu de cochons* en français, est vraiment une façon tout à fait différente de rouler les dés... puisqu'il n'y a aucun de ces petits cubes numérotés! Ils sont plutôt remplacés par d'adorables cochonnets miniatures tout rosés. Selon qu'ils tomberont sur le groin, deux ou quatre pattes, sur le côté ou l'un par-dessus l'autre après le tir, le joueur obtient un certain nombre de points. Tout repose sur leur position... Certains joueurs un tantinet grivois y verront l'occasion rêvée de donner libre cours à leurs fantaisies, verbalement s'entend. C'est pourquoi ce jeu est réservé aux adultes!

JENGA

Avec *Jenga*, tout paraît simple de prime abord puisque pour y jouer, il suffit d'assembler des cubes de bois ou plastifiés proposés avec la version «de luxe». Le défi réside dans la manière d'y parvenir, car tout n'est qu'une question de logique et... d'architecture.

Le jeu propose plusieurs casse-tête offrant un niveau varié de difficultés. Petit conseil: ne surestimez pas vos capacités dès le départ, car vous risquez d'être déçu de vos performances! Ce jeu est destiné aux 8 ans et plus, à moins qu'un enfant plus jeune ne se serve des cubes pour bâtir des constructions primaires... ce que vous serez peut-être réduit à faire, vous aussi!

MONOPOLY

Précurseur des jeux modernes, le *Monopoly* est une invention de l'Américain Charles Darrow. Se faisant le porte-parole des millions de victimes de la crise économique de 1929, il a présenté un jeu avec l'intention avouée d'en faire le symbole même de l'anticrise.

Saviez-vous que la planche de jeu représente la ville d'Atlantic City? Saviez-vous que le *Monopoly* a été traduit en 23 langues? Saviez-vous aussi qu'il a été mis en marché dans 80 pays? Non? Par contre, je gagerais que vous saviez que le principe de ce jeu consiste à acheter ou à louer des terrains et des immeubles jusqu'à ce qu'un joueur arrive au monopole.

OUIJA

Fermez les lumières et vous verrez le nouveau jeu *Ouija* briller dans le noir! Placez vos mains sur le support amovible qui, lui, aura été déposé sur la planche de jeu où s'affichent des chiffres, des lettres, un oui, un non et un adieu et immanquablement vous trouverez des réponses à vos questions.

Comment fonctionne-t-il? Personne n'en a découvert le secret depuis plus de 30 ans! Ce jeu vise des participants de 8 ans et plus.

PASSWORD

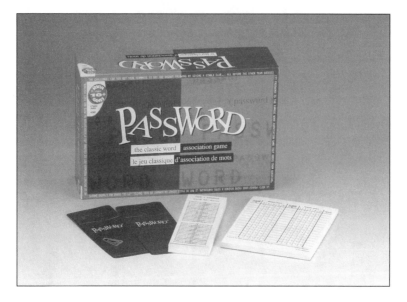

PassWord, qui porte le même titre en anglais et en français bien que ce jeu soit proposé en version bilingue, est une version pour la maison du jeu télévisé connu en Amérique du Nord.

Son objectif est de marquer des points en devinant le « mot de passe » correct à partir d'indices en un seul mot donnés par un partenaire. Il faut 4 participants pour jouer à ce jeu réservé aux 10 ans et plus. Les joueurs d'une même équipe sont si complices qu'ils doivent d'ailleurs s'asseoir obligatoirement côte à côte lors d'une partie et, bien sûr, face à l'adversaire!

RISK

Risk, ce jeu dont le nom est identique dans les deux langues, vous permet ni plus ni moins de conquérir le monde: quelle perspective tentante pour tous les passionnés de stratégie!

Pour y parvenir, des guerres sans merci s'engagent entre les pays du globe conquis par l'un ou l'autre des 6 joueurs... sans faire de dégâts, bien sûr, puisque les armes utilisées ne sont que des dés! Une partie de *Risk* peut s'échelonner sur des heures, voire des jours, car la conquête de la terre ne peut se produire du jour au lendemain...

SOIRÉE MEURTRE ET MYSTÈRE

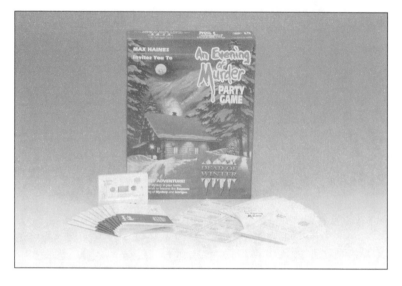

Durant les années 80, les soirées Meurtre et Mystère ont déferlé sur le Québec telle une tornade! Des comédiens, amateurs ou professionnels, les organisaient dans des endroits publics, et en échange de quelques deniers, les amateurs d'enquêtes policières pouvaient y participer. Ce type de divertissement exigeait une imposante préparation, si bien qu'il était fastidieux d'y jouer à domicile.

Irwin a trouvé une solution intelligente à cet épineux problème en proposant aux passionnés d'énigmes le jeu *Soirée Meurtre et Mystère*, dans lequel leur seul «fardeau» est d'y jouer! Cassettes audio, règlements, intrigues, profil des personnages, etc., sont les outils de base de ce jeu proposé sous différents thèmes. Des heures enlevantes en prévision...

SCRABBLE

Scrabble est le jeu tout indiqué pour ceux qui aiment toujours avoir le dernier mot! Ce jeu de lettres a été breveté en 1946 aux États-Unis par James Brunot. Il s'inspire d'un jeu inventé par Alfred Butts en 1931, un architecte alors au chômage. Traduit en 30 langues, ce jeu, qui compte plus de 10 millions d'amateurs dans le monde entier, lance un défi sans cesse renouvelé aux amants du vocabulaire et de la stratégie. Le but des joueurs est en effet de former des mots avec des lettres tirées au hasard, puis de les placer sur le plateau de manière qu'ils s'intègrent aux mots déjà formés, et ce, en accumulant le plus haut pointage, bien entendu.

TABOO

Mon amie Danyelle, qui connaît bien ma passion pour les jeux de société, m'a offert il y a quelques années ce très amusant jeu qu'est *Taboo*, dont une version française est offerte sur le marché.

Le but de ce jeu est de donner des indices à son coéquipier pour qu'il puisse découvrir le mot mystère dans un délai limité, et ce, sans employer certains mots qui sont totalement tabous! Plus de 1 000 mots à trouver y sont inclus. Un autre attrait de ce jeu est qu'il est possible d'y jouer en très grand nombre pour autant que les participants aient 12 ans et plus.

TRIVIAL PURSUIT

La version francophone de *Trivial Pursuit* a déjà porté un autre nom, mais désormais la désignation officielle est identique en anglais et en français, sans doute afin de faciliter la mise en marché de ce si populaire produit.

Créé en 1982 par Chris Haney et Scott Abbott, des Canadiens, *Trivial Pursuit* a depuis fait des adeptes dans le monde entier puisque, à ce jour, plus de 50 millions d'exemplaires de ce jeu ont été vendus! Les joueurs, au nombre de 2 à 6, doivent réussir à terminer le parcours inscrit sur la planche en répondant à des questions d'ordre général parmi les milliers proposées dans ce jeu.

CHAPITRE 7

DES JEUX QUÉBÉCOIS

La folle du logis ne chôme jamais puisque, chaque jour sur terre, il y a fort probablement un être humain, enfant ou adulte, qui s'aventure à inventer un nouveau jeu. Les Québécois sont d'ailleurs de grands créateurs devant l'Éternel. Au prorata de notre population, nous faisons sans aucun doute partie des peuples qui possèdent un nombre impressionnant de talents artistiques.

L'univers des jeux de société n'échappe pas à cette règle de créativité. Cependant, il faut préciser que ce ne sont pas tous les concepteurs de nouveaux jeux qui entreprendront les démarches nécessaires pour en faire la commercialisation. Par contre, certains plus tenaces ou plus téméraires ne ménageront aucun effort pour faire la mise en marché de leur ludique bébé et y réussiront.

Je ne pouvais écrire un livre sur les jeux sans souligner le savoir-faire des gens d'ici.

Peut-être connaissez-vous déjà certains d'entre eux sans savoir qu'ils portent la signature d'un compatriote... Ces jeux sont tous en vente dans les magasins à moins d'indications contraires.

BO-JEUX

La compagnie Bo-Jeux, dirigée par Jacques Richer, est établie à Anjou. Elle lance ses propres créations ou produit et distribue celles d'autres inventeurs québécois. Voici donc quelques-uns de ces jeux:

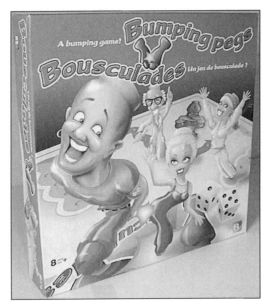

BOUSCULADES: Destiné aux 8 à 108 ans, *Bousculades* porte un titre des plus appropriés puisqu'il s'agit en effet d'un jeu de bousculades sur un parcours où une position n'est jamais acquise. Les joueurs lancent les dés à tour de rôle et une course palpitante débute. Pour jouer à ce jeu, il faut être rapide, attentif pour ne rater aucun raccourci et, surtout, parvenir à bousculer les chevilles de ses adversaires afin de les retourner à la case de départ. Ce jeu est proposé avec un plateau, 16 chevilles de couleurs variées, 20 jetons et 8 dés. On peut y jouer à 2, à 3 ou à 4.

DOUBLE SÉRIE: Il s'agit cette fois-ci d'un jeu basé sur un astucieux mélange de stratégie et d'observation. Pour gagner, il faut être le premier joueur ou la première équipe à réaliser deux séries de jetons de la même couleur, positionnés horizontalement, verticalement ou diagonalement. Ce jeu contient un plateau, des jetons et nécessite 2 jeux de cartes excluant les *jokers*. Il est idéal pour les moments de détente en famille, car il met en présence de 2 à 10 joueurs. De nos jours, les familles comptant plus de 10 membres sont rarissimes!

Il existe également une version «junior» de *Double Série* où de 2 à 6 jeunes peuvent s'affronter et où les cartes incluses et le plateau mettent en vedette des animaux.

YUM: Ce jeu de dés typiquement québécois est très populaire dans tout l'Est du Canada. Très excitant, il conduit le joueur là où l'ambition peut lui faire gagner gros ou... tout perdre! Le but de ce jeu est d'être le premier à compter le plus grand nombre de points en formant des combinaisons de dés et en respectant des règles rigoureuses. Son contenu se compose de 5 dés, d'un gobelet et d'un bloc de pointage. Pour y jouer, il suffit d'être au moins 2, car le nombre de joueurs y est illimité. Ce jeu s'adresse aux 8 ans et plus.

YUM SAFARI: De sympathiques animaux règnent sur ce jeu proposé aux 5 ans et plus dont le concept diffère quelque peu du jeu pour les grands. Ici, le joueur doit réussir à poser le plus de jetons-animaux en lançant des dés décorés... d'animaux! Il est proposé avec 4 planches de jeu illustrées, des dés, des jetons-animaux, un gobelet, un feuillet d'instructions et, de quoi ravir les jeunes, une feuille de 30 autocollants d'animaux! Les parties mettent aux prises 2 joueurs.

LES DÉS DE LA DESTINÉE

Conçu pour les 12 ans et plus, ce jeu s'adresse à un nombre illimité de joueurs et demande la participation d'un maître de jeu.

J'ai découvert ce jeu, qui est vendu dans les boutiques spécialisées et certaines librairies, il y a environ une douzaine d'années, alors que je présentais une chronique à une émission de télévision intitulée *Coup de pouce télé*, sur les ondes de Télévision Quatre Saisons.

Je me rappelle fort bien combien l'animatrice, Élaine Lauzon, et moi avions été sidérées par les résultats obtenus! Les *Dés de la Destinée* proposés par Ludex inc. «*Permet de prévoir l'avenir et de comprendre les dimensions cachées d'une situation»*, comme il est précisé à la toute première page du manuel de l'utilisateur. De quoi raviver une soirée des plus moroses!

Ce jeu divinatoire est tout simple, puisqu'il se compose de 4 dés à 8 faces, numérotés de 1 à 8, dont un clair représentant l'air, un bleu pour l'eau, un rouge pour le feu et un brun pour la terre, et du *Livre de la destinée* ainsi que d'un calepin.

Le volume est divisé en 8 «Domaines» qu'il faut consulter après avoir lancé le premier dé, de 64 «Maisons» dont la consultation est permise après le lancer du deuxième dé, et de 512 «Chambres» accessibles après avoir fait roulé le troisième dé.

Le maître de jeu, après avoir établi quelle était la date de la journée en cours, doit vérifier quel signe astrologique lui est rattaché, quel élément est lié à ce signe et de quelle couleur est le dé lié à ce dernier. Il répétera cette même opération pour l'élément complémentaire de ce même jour.

Après quoi, il doit refaire ce processus en se basant cette fois-ci sur la date d'anniversaire du participant, mais sans chercher à savoir quel en est l'élément complémentaire. Ce résultat servira à déterminer la couleur du premier dé à faire rouler.

Voici un exemple. Imaginons que nous sommes le 1er juin. À l'aide du *Livre de la destinée*, le maître de jeu constate que la journée se déroule sous le signe des Gémeaux dont l'élément est l'air (dé clair) et l'élément complémentaire, le feu (dé rouge).

Pour sa part, le participant qui veut connaî-tre ce que lui réserve l'avenir est né un 13 septembre. Il est donc né sous le signe de la Vierge, dont l'élément est la terre (dé brun).

Le joueur devra lancer en tout premier lieu son dé personnel: dans ce cas-ci, le dé brun. De ce tir, il résultera un chiffre entre 1 et 8. Exemple: le participant obtient le chiffre 7. Le maître de jeu inscrit le résultat sur le calepin fourni à cet usage et consulte l'interprétation du chiffre 7 dans le *Livre de la destinée* qui, en l'occurrence, traite de la «Perfection». Il remar-quera que ce titre est suivi d'un certain nombre d'étoiles. Il devra transposer ce nombre sur le calepin, car à la fin de tous les tirs de dés, le ré-sultat permettra d'établir le niveau de chance globale du joueur.

Ensuite, le participant lance le deuxième dé, celui de l'élément (dé clair). Le chiffre en dé-coulant sera marié au premier obtenu. Exemple:

le résultat du deuxième dé lancé est 5. Le fruit des deux premiers tirs est donc 75. Le maître de jeu écrit ce nouveau résultat sur le calepin et en communique l'interprétation en se basant toujours sur ce qui est proposé dans le *Livre de la destinée*. Avec le 75, il est question du «Temps».

Cet exercice est repris avec le dé de l'élément complémentaire (dé rouge), et le résultat qui en découlera sera juxtaposé aux précédents. Exemple: le joueur obtient un 6. Le chiffre à retenir pour ce troisième tour est donc le 756, auquel est associée une interprétation particulière concernant le «Recyclage», toujours selon le guide de l'utilisateur.

Les sceptiques ne seront peut-être pas tentés par les *Dés de la Destinée*, mais je peux vous certifier, pour en avoir fait l'expérience à maintes occasions, qu'elles sont très rares ces personnes qui dédaignent ce jeu, car tenter de connaître l'avenir en intrigue plus d'un!

PATRIX

Patrick Ouvrard, fondateur des Jeux Patrix qui ont leurs assises à Lac-Brome, est un véritable maniaque de jeux de société. Avec des moyens souvent modestes, il a réussi à aller jusqu'au bout de cette passion en présentant sur le marché plusieurs jeux captivants, tous proposés à moins de 20 $. Qui plus est, les Jeux Patrix sont très amusants en plus de posséder un aspect didactique.

ATLASSIMO CANADA: Ce jeu possède deux fonctions bien distinctes. Il est tout d'abord un jeu de dominos proposé aux 5 ans et plus, mais c'est aussi un jeu où l'on peut juxtaposer les dominos en fonction des frontières communes d'une région donnée, en l'occurrence le Canada. Dans pareil cas, il s'adresse aux 7 ans et plus. La collection Atlassimo comporte également une version dédiée à l'Europe et une autre, aux États-Unis.

BOBARDS: C'est un jeu-questionnaire instructif où les joueurs créent des *BoBarDs* pour piéger leurs adversaires. Avec *BoBarDs*, le menteur le plus convaincant peut battre celui qui sait tout! Ce jeu regroupe 700 affirmations sur 56 cartes qui peuvent se combiner en plus de 8 000 bobards pour mettre les connaissances de tous les joueurs à l'épreuve. *BoBarDs* peut aussi se jouer sans planche, avec des cartes, sur la plage, en auto, à plusieurs ou en équipe. Pour les 10 ans et plus.

FOU MATH: Ce jeu, primé par plusieurs associations et regroupements, est «sournoisement» éducatif, comme l'affirme son concepteur. Mais il est aussi simple à jouer que $2 \times 2 = 4$. Pour déterminer la position des pions sur le damier, les joueurs doivent faire rouler les dés. Les résultats sont affichés sur la planche; pour gagner, le participant doit réussir à aligner 3 pions. Attention! une certaine stratégie intervient, puisque l'adversaire devra tenter de bloquer son vis-à-vis. Pour 8 ans et plus. Réunissant de 2 à 4 joueurs.

MEMO PUZZ: Comme son nom l'indique, ce jeu a pour but de stimuler la mémoire. Chaque enfant doit découvrir son «PUZZKID», c'est-à-dire un personnage sympathique dont le portrait a été segmenté en plusieurs morceaux. Il s'adresse aux 4 ans et plus.

ROCHE, PAPIER, CISEAUX: Il s'agit d'un jeu défiant la mémoire, puisque les joueurs doivent tout d'abord découvrir des paires, puis des trios, pour ensuite atteindre le jeu de suite, le jeu de suite royale et, finalement, le jeu de suite plus! En bonus, il contient aussi les règlements expliquant le jeu de bataille. Pour les 3 ans et plus.

SUPER TIR TAC POC

SUPER TIR TAC POC est un jeu de compétition, d'adresse et de stratégie qui a vu le jour à l'été 1992 grâce à Raymond Fortin et à Marcel Bouchard, tous deux de Québec. Les deux inventeurs s'étaient mis à la recherche d'un nouveau jeu après avoir constaté que leurs amis manquaient d'intérêt face aux jeux de plein air déjà existants, comme les fers, la pétanque, les anneaux, etc.

Le jeu comprend un cadre réceptif de 9 carreaux identiques et 4 groupes de disques (2 groupes pour chacune des équipes). Le premier groupe de disques de chaque équipe comprend 11 disques de mêmes diamètre, densité et épaisseur. Le second groupe comprend 3 disques de plus grand diamètre et identifiés par les mots «SUPER X» ou «SUPER O».

Ces SUPER pièces ont la faculté de déloger une pièce dite ORDINAIRE ou SUPER et de prendre possession du carreau. Chaque équipe lance tour à tour des disques dans le but de faire une ligne diagonale, verticale ou horizontale. Ce jeu d'adresse et de stratégie peut se jouer sur presque toutes les surfaces (gazon, sable, eau, ciment, etc.), aussi bien à l'extérieur qu'à l'intérieur. Il met en compétition 2 ou 4 joueurs et est destiné à tous les groupes d'âge.

Puisque le *SUPER TIR TAC POC* en est à ses débuts, pour connaître ses points de vente, il vous faut communiquer avec l'un des créateurs, Raymond Fortin, dont les coordonnées sont:

259, rue de la Brunante
Beauport (Québec) G1C 6R2
Tél.: (418) 666-0060
Courriel: rfortin@mediom.qc.ca

WREBBIT, PUZZ 3D

Au début de la dernière décennie, un Québécois du nom de Paul Gallant eut l'idée d'appliquer la troisième dimension à un puzzle alors qu'il rêvassait attablé dans la cuisine... Après maintes vérifications, il se rendit compte qu'il n'y avait aucun puzzle 3 D sur le marché.

En 1991, la société Wrebbit était déjà en place et commençait à fabriquer son premier puzzle à trois dimensions dans un garage de la rue Berri à Montréal.

Aujourd'hui, Wrebbit jouit d'une renommée internationale et propose sur le marché un éventail époustouflant de *Puzz 3D*: Le Capitole, Le Château en Bavière, Blanche-Neige, etc. Certains casse-tête, telle L'Horloge médiévale, sont dotés de mécanisme permettant au *Puzz 3D* de devenir un joli objet usuel. À cela s'ajoutent les *Puzz 3D* pour enfants, les Puzzles muraux et l'assortiment des Animaux.

Pourquoi ne pas profiter d'un de vos rassemblements pour créer une œuvre collective magnifique?

CHAPITRE 8

LES AUTRES JEUX

Certains jeux n'aspirent à aucune prétention, si ce n'est de divertir ceux qui y participent. Ces jeux faciles à réaliser sont garants de bien des fous rires pour autant qu'aucun des joueurs ne craigne... le ridicule, qui, heureusement, n'a jamais tué personne!

LE BAL DES OISEAUX

Catégorie:

6 ans et plus.

Nombre de joueurs:

Minimum: 6. Maximum: illimité. Nombre pair de joueurs exigé. Un maître de jeu.

Matériel:

Du papier et un stylo. Des chaises.

Jeu:

Le maître de jeu doit procéder à des préparatifs préalables en découpant une cinquantaine de bouts de papier de dimensions restreintes, soit d'environ 5 cm sur 7,5 cm (2 po sur 3 po). Il en fait 2 piles, qui comportent chacune un nombre égal de morceaux de papier.

Ensuite, le maître de jeu inscrit des onomatopées rappelant le chant d'un oiseau sur ces feuilles de manière à obtenir un jeu de deux. Par exemple, il devra écrire *Twit* sur deux bouts de papier différents, *Cocorico* sur deux autres, et ainsi de suite.

Après avoir terminé cet exercice, il devra installer des «nids» pour que le bal des oiseaux puisse avoir lieu... Pour ce faire, il calcule un nombre égal de chaises (nids) au nombre de couples participant au jeu, moins un nid. Exemple: 20 participants = 10 couples = 9 nids.

Lorsque toutes ces dispositions préliminaires ont été prises, les participants entrent en jeu. Le maître de jeu distribue à chacun d'entre eux, au hasard, un bout de papier sur lequel se trouve une onomatopée. Dès lors, chaque joueur se lève et chante à tue-tête, sans arrêter, son «onomatopée» ou son chant d'oiseau pour retrouver son partenaire. Une fois que le couple d'«oiseaux» est réuni, il doit s'empresser de se trouver un nid. Les deux oiseaux qui n'ont pas de nid, sont éliminés de la partie.

Le maître de jeu recommence l'opération initiale de distribution des bouts de papier en ayant pris soin auparavant de retirer un couple de chants d'oiseaux (onomatopées) ainsi qu'un nid. Le bal des oiseaux se termine lorsqu'il n'y a plus qu'un seul couple d'oiseaux qui turlutte dans son nid.

Quelques variantes:

Pour que tous les participants puissent faire partie du bal des oiseaux le plus longtemps possible, plutôt que d'éliminer le couple qui n'a pas de nid, chaque joueur de ce couple se voit attribuer un point de pénalité. Les gagnants de la partie seront ceux qui feront partie du couple qui a accumulé le moins de points; la durée du jeu aura été prédéterminée par le maître de jeu.

Plutôt que de mettre en présence des couples, on pourra former des équipes de trois personnes. Cependant, le maître de jeu aura pris soin d'inscrire trois onomatopées identiques sur trois bouts de papier différents.

À la place des chants d'oiseaux, le maître de jeu peut aussi opter pour des onomatopées rappelant le cri d'animaux de la jungle ou de la ferme. Ainsi commencera le bal des animaux qui aura un effet tout aussi... bœuf, croyez-moi!

LES CÉLÉBRITÉS

Catégorie:

10 ans et plus.

Nombre de joueurs:

Minimum: 3. Maximum: illimité. Un maître de jeu.

Matériel:

Du carton rigide. Des ciseaux. Des trombones. Un dictionnaire.

Jeu:

Bien avant que la partie commence, le maître de jeu doit procéder à quelques préparatifs. Avec du carton rigide, il fait une couronne de papier qui pourra s'ajuster aux différents diamètres de tête des participants. Pour la maintenir en place, il utilisera, le temps venu, des trombones.

Ensuite, dans les retailles de ce même carton, il découpe des coupons d'une dimension s'approchant de 7,5 cm (3 po) de haut sur 15 cm (6 po). Sur chacune de ces pièces cartonnées, il inscrit le nom d'une célébrité. Peu importe que cette personnalité connue appartienne au monde de la scène, du cinéma, de l'histoire, de la politique, des sports, etc. (il peut chercher certaines références dans un dictionnaire de noms propres). Une fois ces étapes achevées, le jeu des célébrités peut débuter!

Le maître de jeu choisit au hasard un participant, qui deviendra la célébrité du moment. Avant de la couronner, il aura pris soin de fixer un coupon sur la couronne avec un trombone de manière que le nom inscrit soit lisible par tous les autres joueurs. Toutefois, il évitera que la tête couronnée puisse voir le nom qui lui est dédié.

Le joueur en lice doit deviner quel est le nom célèbre inscrit sur le carton de sa couronne. Pour y parvenir, il pose des questions aux autres participants. Ces derniers doivent lui donner des réponses succinctes dans lesquelles se trouvent des indices subtils.

Chacun des participants devient une célébrité. La partie se termine lorsque tous ont eu droit à leur moment de gloire!

Quelques variantes:

Le maître de jeu peut imposer que les joueurs ne répondent que par oui ou non.

De plus, il peut allouer un temps de réponse prédéterminé au participant couronné.

Si la fête dure plusieurs heures, pour alimenter la partie, le maître de jeu peut donner un point pour chaque bonne réponse obtenue et en retirer un pour chaque célébrité non identifiée.

FAIS-MOI UN DESSIN

Catégorie:

8 ans et plus.

Nombre de joueurs:

Minimum: 4. Maximum: illimité. En nombre pair. Un maître de jeu.

Matériel:

Une grande tablette de papier. Un lutrin. Des crayons-feutres. Quelques feuilles de format standard. 5 boîtes ou sacs. Un dictionnaire. Un chronomètre ou une montre.

Jeu:

Au Québec, pendant des années, le concept de ce jeu a fait l'objet d'une émission télévisée très populaire qu'animait Yves Corbeil à Télé-Métropole. Vous vous souvenez? Eh bien, vous pouvez vous-même animer une telle soirée avec la même bonne humeur qui prévalait lors de ce jeu télé!

Tout d'abord, le maître de jeu doit s'astreindre à un exercice bien simple. Il doit choisir cinq catégories. Exemple: sports, vocabulaire, géographie, cinéma et histoire. Il inscrit le nom de chacune d'elles sur les sacs ou les boîtes.

Ensuite, il écrit sur des bouts de papier des expressions, des titres, en fait des thèmes qui ont un lien direct avec chacune des catégories. Exemple: sports: football américain; vocabulaire: tête de turc; géographie: les îles Canaries; cinéma: *Le dernier des Mohicans* et histoire: Napoléon Bonaparte. Il pourra s'aider d'un dictionnaire, d'une encyclopédie, etc.

Il place les bouts de papier dans les sacs identifiés aux catégories concernées. Après quoi, il dispose une grande tablette de papier et des crayons-feutres sur un lutrin.

Les participants se divisent en 2 équipes d'un nombre égal. Le maître de jeu désigne laquelle doit amorcer la partie. Sur ce, un des membres de l'équipe désignée pige un bout de papier dans le sac mentionnant la catégorie de son choix. Il lit ce qui est inscrit.

Dès cet instant, l'enjeu est de faire deviner à ses coéquipiers, en 2 minutes (temps vérifié par le maître de jeu), l'expression pigée, et ce, uniquement en dessinant. Il s'ensuit des hypothèses très farfelues, croyez-moi! Il n'est pas en effet donné à tous de posséder des talents en dessin...

Si ses partenaires trouvent la réponse juste, l'équipe marque un point. Sinon, le maître de jeu donne un droit de réplique à l'équipe adverse, qui a ainsi la chance de marquer un point en trouvant la solution.

Le jeu se poursuit jusqu'à ce que toutes les expressions de toutes les catégories aient été dessinées. L'équipe ayant accumulé le nombre le plus important de points gagne.

LE GRAND BOMBARDEMENT

Catégorie:

Pour tous.

Nombre de joueurs:

Minimum: 4. Maximum: illimité. En nombre pair. Un maître de jeu.

Matériel:

Des feuilles de papier roulées en boules en importante quantité. Quelques rouleaux de papier hygiénique. Un ruban adhésif (si le jeu se déroule à l'intérieur) ou une corde fixée aux extrémités (si le jeu se passe à l'extérieur).

Jeu:

Le maître de jeu, ce grand général, délimite le territoire de chacune des équipes, qui regroupent un même nombre de soldats. Il répartit chaque groupe de chaque côté d'une ligne centrale (faite avec du ruban adhésif ou une ficelle, selon le contexte).

Le maître de jeu attribue ensuite un nombre égal de munitions aux 2 armées (boules de papier et rouleaux de papier hygiénique). Le général signale le début du Grand Bombardement. Chaque soldat doit lancer le plus de missiles possible sur le territoire de l'ennemi. Si une bombe atterrit dans la zone d'une armée, le soldat a le droit de ramasser cette arme et de la relancer chez l'adversaire.

Après un certain temps, le général en titre déclare la fin des combats. Chaque armée doit calculer le nombre de projectiles parsemant l'espace qui lui est attitré. Le groupe qui en dénombre le moins marque un point. Les hostilités reprennent jusqu'à ce que la paix soit proclamée...

Quelques variantes:

Si le Grand Bombardement se joue à l'extérieur par une chaude journée d'été, le général peut ajouter à l'arsenal des différentes armées des ballons de baudruche («ballounes») emplis d'eau. Il invitera alors les soldats à revêtir leur maillot de bain!

HISTOIRES DE FAMILLE

Catégorie:

Pour tous.

Nombre de joueurs:

Minimum: 4. Maximum: illimité. En nombre pair. Un maître de jeu.

Matériel:

Des feuilles. Des stylos.

Jeu:

Le maître de jeu doit préalablement dresser une liste de questions, qu'il posera plus tard aux concurrents. Ces questions doivent avoir un caractère intime... mais pas trop! Vous allez bientôt comprendre pourquoi...

Avant de poursuivre mes explications, il me faut immédiatement vous détailler le concept de ce jeu. Chaque participant sera jumelé à un autre. Les coéquipiers seront favorablement des membres d'une même famille, d'un couple ou des amis de longue date. Le but de la partie sera en effet de «fouiller» la vie de l'un et de l'autre.

Au moment de commencer la partie, un équipier de chaque tandem est isolé dans une autre pièce. Le maître de jeu interroge les joueurs restants en utilisant des questions du genre: «Quelle était la couleur de la première voiture de votre coéquipier?», «Selon lui, quel est son pire défaut?», «Quel âge avait-il lorsqu'il a appris à nager?», «A-t-il eu les oreillons?», etc. Les participants doivent inscrire leurs réponses sur une feuille de papier.

Le maître de jeu rappellera sur le lieu de la partie les joueurs isolés et interrogera cette fois-ci ces derniers concurrents en employant les mêmes questions que précédemment.

L'équipe dont les 2 équipiers donneront une réponse identique à une même question marquera un point. Celle qui aura amassé le plus de points vaincra.

Ce jeu est très amusant puisque, bien souvent, les réponses des 2 partenaires diffèrent totalement. Cette situation engendre des situations très cocasses ou d'amicaux différends pour le plus grand plaisir de l'assistance! Le succès de ce jeu réside dans la perspicacité des questions élaborées par le maître de jeu...

LE MARCHAND DE BOUCHONS

Catégorie:

6 ans et plus.

Nombre de joueurs:

Minimum: 10. Maximum: 30. Un maître de jeu.

Matériel:

Un bouchon par personne moins 2 bouchons. (De préférence, des bouchons plastifiés ou des bouchons de liège. À éviter les bouchons métalliques.) Une grande couverture carrée bien matelassée.

Jeu:

Pénurie de bouchons! Tous les joueurs avides d'en acheter se rendent auprès du marchand de bouchons (le maître du jeu). Ils devront faire preuve d'une extrême politesse s'ils espèrent acquérir ces bouchons qui sont, il va sans dire, en rupture de stock.

Les participants doivent se placer tout autour de la couverture carrée et matelassée où les bouchons auront été préalablement déposés. Le marchand de bouchons commence la partie en donnant certains ordres aux joueurs, par exemple « Saluez! » : les participants doivent alors faire la révérence; « Priez! » : chacun doit s'agenouiller; « Suppliez! » : les joueurs doivent être les plus convaincants possible à grand renfort de remarques obligeantes pour le marchand de bouchons. Il n'en tient qu'à l'imaginaire du marchand de bouchons pour trouver des actions que l'assistance devra accomplir. Puis, au moment jugé le plus crucial par le maître de jeu, il lancera un tonitruant : « L'achat! » Il a d'ailleurs intérêt à jouer sur l'effet de surprise.

À ce moment précis, tous les joueurs doivent se ruer sur les bouchons, mais ils ne peuvent en prendre qu'un seul. Après chaque phase d'achat, les joueurs qui n'ont pas de bouchons se retirent de la partie. Le marchand de bouchons enlève quelques bouchons du jeu. Les participants se réinstallent autour de la couverture, et un autre tour est amorcé. Le jeu se poursuit jusqu'à ce qu'il ne reste plus en lice qu'un seul acheteur de bouchons.

Quelques trucs et variantes:

Pour éviter qu'un joueur se blesse, il est déconseillé de déposer la couverture sur du carrelage car, emportés par l'enthousiasme, les participants se ruent têtes baissées sur les bouchons. Il est possible de remplacer les bouchons par n'importe quel autre objet, pour autant que ce dernier ne soit ni fragile ni trop rigide.

OH! LOUP!

Catégorie:

Pour tous.

Nombre de joueurs:

Minimum: 5. Maximum: illimité. 2 maîtres de jeu.

Matériel:

Aucun.

Endroit:

Favorablement, à l'extérieur. Sinon, à l'intérieur dans une grande pièce dégagée.

Jeu:

Un maître de jeu campe le rôle du loup et un autre joue le personnage du berger. Quant aux autres participants, ce sont tous des moutons. Pour jouer, les moutons doivent se mettre en file et se tenir tous par la taille. Le berger se place au premier rang de cette queue.

Le loup doit alors tenter d'attraper le dernier mouton de la lignée. Le mouton doit tenter de lui échapper sans jamais briser la chaîne qui l'unit au restant du troupeau. Sinon, il devient la propriété du loup. Le jeu se poursuit jusqu'à ce que le loup ait capturé tous les moutons et que le berger soit seul de son cheptel.

Quelques trucs et variantes:

Un joueur peut être désigné «chien de berger». Sa mission consistera à s'interposer entre le loup et les moutons. Il peut y avoir 2 loups dans une partie, pour autant qu'il y ait 2 chiens de berger.

Pour ajouter à l'ambiance, si le contexte le permet, les participants devront imiter le bêlement des moutons, l'aboiement des chiens et le hurlement du loup. Fous rires garantis!

Autre variante, plutôt que de mettre en présence un loup, un berger, des moutons et un chien de berger, faites place à un lion, à des gazelles, à un chef de troupeau et à une hyène pour défendre les graciles gazelles.

QUI VA À LA CHASSE, PERD SA PLACE

Catégorie:

Pour tous.

Nombre de joueurs:

Minimum: 10. Maximum: illimité. Un maître de jeu.

Matériel:

Un nombre de chaises égal au nombre de participants.

Jeu:

Les chaises sont disposées en cercle, tournées vers l'intérieur à l'inverse de la chaise musicale. Le maître de jeu se place à l'extérieur de ce cercle et désigne un «chasseur». Ce dernier se lève et se place debout au milieu du cercle. Au signal du maître de jeu, le «chasseur» doit tenter de se rasseoir sur une chaise malgré les déplacements des autres participants. Pour l'empêcher de regagner un siège, les participants doivent changer de place. Le joueur, voisin de gauche du chasseur, doit décaler d'un siège et les autres participants doivent l'imiter en faisant le plus rapidement possible. Si le «chasseur» réussit à s'asseoir de nouveau, son voisin de gauche devient à son tour le «chasseur».

Quelques trucs et variantes:

Une fois le système bien rodé, le maître de jeu peut apporter plusieurs changements, histoire d'attiser l'intérêt des participants. Par exemple, il peut désigner plusieurs «chasseurs» pour une seule chaise vide.

Il peut aussi changer le sens de rotation des déplacements en les faisant débuter par la droite et non par la gauche. En pareille situation, si le «chasseur» parvient à se trouver un siège, le voisin de droite de ce dernier sera nommé «chasseur».

Pour rendre la tâche plus ardue au «chasseur» et aux autres joueurs, un participant pourra décider de changer de chaise à la toute dernière minute! De plus, ce jeu très simple à apprivoiser peut être pratiqué aussi bien à l'intérieur qu'à l'extérieur.

RODIN AU BOUT DES DOIGTS!

Catégorie:

8 ans et plus.

Nombre de joueurs:

Minimum: 6. Maximum: illimité. Multiple de 3. Un maître de jeu.

Matériel:

Un foulard par équipe de 3.

Jeu:

Auguste Rodin (1840-1917) est considéré comme l'un des plus grands maîtres de la sculpture de tous les temps. Qui d'ailleurs n'a jamais vu une photographie ou une reproduction de sa célèbre œuvre *Le Penseur*? Ce jeu consiste donc à tenter d'imiter les grands talents du maître, mais sans argile, plâtre, cuivre, roc. Vous allez voir, la matière première est très malléable malgré tout.

Le maître de jeu divise les participants en équipe de 3 personnes. L'un d'entre eux est le sculpteur. Le deuxième devient le modèle et le troisième... la pâte à modeler!

Sous la supervision du maître de jeu, les équipes s'installent chacune dans un coin. Chaque sculpteur se bande les yeux. Le modèle prend une pose. Le sculpteur le tâte pour essayer d'en déterminer les formes pendant le délai accordé par le maître de jeu.

Alors que le modèle conserve toujours la pause, le sculpteur, qui a encore les yeux bandés, doit tenter de le reproduire le plus justement possible avec la «pâte à modeler» humaine. Cet exercice se déroule dans un laps de temps précis.

Une fois l'échéance arrivée, les sculpteurs de chaque groupe recouvrent la vue et le maître de jeu évalue les œuvres réalisées en les comparant aux modèles originaux. Il détermine quelle équipe a réalisé la «sculpture» la plus fidèle.

CHAPITRE 9

LES JEUX DESTINÉS
AUX ENFANTS

Bien sûr, de manière générale, les enfants peuvent jouer aux mêmes jeux que les grands. Mais, selon leur âge, ils risquent fort de s'ennuyer au bout d'un moment si la partie en cours est trop exigeante pour leur capacité de concentration ou leurs possibilités intellectuelles. Si la fête que vous organisez réunit principalement de jeunes invités, mieux vaut alors prévoir des jeux de société en fonction de leur âge.

Dans les pages qui suivent, je vous en suggère quelques-uns qui se pratiquent à l'intérieur ou à l'extérieur et qui sont spécialement destinés aux 12 ans et moins.

LE CAMÉLÉON

Catégorie:

De 8 à 12 ans.

Nombre de joueurs:

Minimum: 4. Maximum: illimité. En nombre pair. Un maître de jeu.

Endroit:

L'extérieur, idéalement en forêt. Également, à l'intérieur.

Matériel:

Un chronomètre ou une montre.

Jeu:

Chaque joueur s'associe à un autre pour former un couple. Lorsque le maître de jeu donne le signal de départ, un des partenaires doit rester aux côtés de ce dernier, tandis que l'autre doit s'en éloigner le plus rapidement possible en essayant de se camoufler.

Après un laps de temps, établi par le maître de jeu, et au nouveau signal de ce dernier (cri, sifflet, etc.), le participant en déplacement doit immédiatement s'immobiliser. Son partenaire va alors le rejoindre en comptant chacune de ses enjambées. Il retient ce nombre et le communique à son acolyte. Par le fait même, les couples sont de nouveau réunis. Mais pour un court moment...

Le maître de jeu lance un troisième signal indiquant que les partenaires d'un même couple doivent s'éloigner l'un de l'autre en faisant le même nombre d'enjambées que pour leur réunification. Exemple: Samuel a dû faire 9 enjambées pour rejoindre Mélanie. Lorsque le maître de jeu émet son troisième signal, Samuel ET Mélanie doivent faire chacun 9 enjambées tout en s'éloignant l'un de l'autre.

Ce processus est répété jusqu'à la fin de la partie dont le maître de jeu aura décidé la durée. Le joueur déclaré grand gagnant est celui qui aura su le mieux se camoufler dans le paysage tel un caméléon!

Quelques trucs et variantes:

S'il vous est impossible de déplacer tous vos jeunes invités en forêt, vous pouvez tout de même organiser le jeu du caméléon dans votre cour. Pour que la partie soit aussi amusante, le maître de jeu devra diminuer le laps de temps entre chacun de ses signaux.

Si la température n'est pas clémente, les jeunes peuvent jouer au caméléon à l'intérieur, pour autant qu'ils aient accès à presque toutes les pièces. Le maître de jeu, quant à lui, devra se tenir dans une seule et même pièce du début à la fin de la partie.

Lorsque la durée prévue sera écoulée, il devra alors trouver le «caméléon» le mieux camouflé en se faisant aider par les participants éliminés. Une excitante partie de cache-cache débutera!

CHERCHER LE DOUBLE

Catégorie:

De 4 à 12 ans.

Nombre de joueurs:

Minimum: 2. Maximum: illimité. Un maître de jeu.

Endroit:

En tous lieux.

Matériel:

Différents objets dont 2 identiques pour chaque type choisi. Une nappe. Un chronomètre ou une montre.

Jeu:

Avec «Chercher le double», le maître de jeu a des devoirs à faire avant l'arrivée des participants. Il doit en effet choisir différents objets qu'il possède en double. Exemple: chaussures, coquillages, pailles, etc. Plus les joueurs seront jeunes, plus le nombre d'objets sélectionnés devra être moindre.

Ensuite, il prend un spécimen de chacune de ces paires et le cache. Encore là, la cachette devra être plus ou moins facile à découvrir selon l'âge des participants. Finalement, il place sur un support quelconque (table, plancher, etc.) les jumeaux des objets cachés.

La partie commence après que le maître de jeu a invité les participants à bien observer les objets placés sur le support. Pour ce faire, il allouera une durée d'observation précise et dès qu'elle sera terminée, il devra recouvrir les objets d'une nappe.

Pour leur part, dès le signal donné, les participants doivent chercher le double des objets présentés par le maître de jeu. Celui qui en récupère le plus grand nombre le plus rapidement est déclaré grand gagnant de la partie.

Quelques trucs et variantes:

Si le jeu se déroule à l'intérieur, le maître de jeu peut utiliser des cartes à jouer, des ustensiles, des chaussons, des gants, etc. À l'extérieur, il préférera des fleurs, des feuilles, des bouts d'écorce, etc. Ce jeu permet de favoriser à la fois la mémoire et le sens d'observation du milieu.

JE POSE, TU CHERCHES

Catégorie:

De 8 à 12 ans.

Nombre de joueurs:

Minimum: 4 (en équipes de 2). Maximum: illimité. En nombre pair. Un maître de jeu.

Endroit:

En tous lieux.

Matériel:

Une balise distincte (un objet quelconque) pour chaque paire de joueurs. Un chronomètre ou une montre.

Jeu:

Chaque équipe de 2 se voit attribuer une balise par le maître de jeu. À son signal, un des membres de l'équipe doit aller dissimuler cet objet dans un endroit que l'autre partenaire ne peut pas apercevoir.

Le «dissimulateur» doit revenir auprès du maître de jeu le plus rapidement possible, car un point sera attribué au premier revenu au point de départ.

Une fois que tous les participants se retrouvent dans l'entourage du maître de jeu, un nouveau signal est émis et le «dissimulateur» donne 3 indices à son coéquipier, le «chercheur», pour l'aider à découvrir la balise camouflée appartenant à leur équipe. Il pourra ainsi lui fournir des informations concernant la nature du poste, la distance et la direction.

Le «chercheur» doit rapporter cette balise au maître de jeu dans le temps le plus bref, car un point sera aussi accordé au participant se présentant le premier. La partie se poursuit autant de temps que le maître de jeu le veut bien, et à chaque tour, les rôles des participants sont inversés: le «dissimulateur» devient le «chercheur», et vice-versa!

LE PETIT SINGE

Catégorie:

6 ans et plus.

Nombre de joueurs:

Minimum: 6. Maximum: illimité.

Endroit:

En tous lieux.

Matériel:

Aucun.

Jeu:

Assis par terre, les participants forment un cercle à l'exception d'un seul qui, lui, doit tourner autour de l'espace de jeu. En marchant, il demande aux autres joueurs s'ils n'avaient pas vu son petit singe, qu'il a malencontreusement égaré. Ces derniers lui répondent évidemment en cœur par la négative.

Toujours en marchant autour des autres joueurs, il décrit un des participants: couleur des cheveux, des vêtements, des souliers, etc. Lorsque le joueur visé se reconnaît, il doit immédiatement se lever et partir à courir après celui qui a vraisemblablement perdu son singe.

Mais, vous l'aurez deviné, il ne s'agissait que d'une singerie pour pouvoir s'emparer de la place du «petit singe». Si le prétendu propriétaire du singe réussit son manège, le «petit singe» devient alors le meneur de jeu. Cependant, si le petit singe réussit à toucher au propriétaire malheureux, ce dernier doit alors aller s'asseoir à l'intérieur du cercle formé par les autres joueurs. On répète le même mécanisme jusqu'à ce qu'il ne reste plus qu'un seul joueur actif.

TU BRÛLES, TU GÈLES!

Catégorie:

De 8 à 12 ans.

Nombre de joueurs:

Minimum: 2. Maximum: illimité. En nombre pair. Un maître de jeu.

Endroit:

En tous lieux.

Matériel:

Des foulards. Un chronomètre ou une montre.

Jeu:

Voici une variante du populaire jeu de notre enfance «Tu brûles, tu gèles!» qui permettra à un plus grand nombre de joueurs de s'amuser. Le maître de jeu désigne des équipes de 2 et distribue à chacune d'entre elles un foulard qui servira à bander les yeux de l'un des partenaires.

Au signal de départ, le coéquipier qui n'a pas les yeux bandés fait faire 3 tours sur lui-même à celui qui a perdu temporairement la vue. Ensuite, en le guidant, il le conduit à un objet de son choix. Le participant aux yeux bandés doit tâter cette cible pendant 10 secondes: délai que le maître de jeu vérifie, chrono ou montre en main. Passé ce temps, l'équipe revient à son point initial et le jeune aux yeux bandés fait de nouveau 3 tours sur lui-même.

Après en avoir reçu l'autorisation du maître de jeu, le partenaire «voyant» détache le foulard de son coéquipier. Le maître de jeu proclame la poursuite du jeu en signifiant à chaque équipe que le partenaire qui avait les yeux bandés peut dès lors chercher la cible.

Le coéquipier qui a caché l'objet n'a le droit de dire à son complice que «Tu brûles!» ou «Tu gèles!», selon que ce dernier se trouve près ou loin de la cible.

La premier couple à rapporter l'objet au maître de jeu marque un point. La partie se poursuit de cette façon selon le bon vouloir du maître du jeu, et chaque partenaire inverse son rôle d'un tour à l'autre. L'équipe gagnante est évidemment celle qui a réussi à accumuler le plus de points.

Quelques trucs et variantes:

S'il est possible d'organiser ce jeu à l'extérieur, le maître de jeu doit alors demander que l'objet à retrouver soit absolument un des arbres. Il est difficile de reconnaître un arbre d'un autre lorsqu'on a les yeux bandés! Si, au contraire, le jeu se déroule à l'intérieur de votre maison, le maître de jeu peut alors décider d'une thématique pour chaque tour. Exemple : le premier tour, l'objet choisi doit obligatoirement avoir un lien avec la cuisine ou la chambre à coucher. De cette façon, le niveau de difficulté peut être légèrement atténué et toutes les pièces de votre domicile ne risquent pas d'être envahies simultanément!

BIBLIOGRAPHIE

Dictionnaire historique de la langue française Robert, Paris, Dicorobert inc., 1993.

Le Nouveau Petit Robert, Paris, Dicorobert inc., 1994.

Le Petit Larousse, Grand Format, Paris, Librairie Larousse, 1996.

Mémo Larousse, Paris, Librairie Larousse, 1989.

LAUZON, Jocelyn. *Cahier de jeux, Clubs des Vacances*, région Rosemont–Petite-Patrie, 1998.

TABLE DES MATIÈRES